Моей любимой «пятерке» – Дарие, Зохару, Лиле, Мике и Орли

УДК 379.8
ББК 74.100.5
О-65

Печатается по изданиям:

Rony Oren

Series «Secrets of Clay™»
Farm Animals & Pets
Wild Animals

Перевод с иврита Рина Жак

Орен Р.

О-65   Секреты пластилина™ / Рони Орен ; [пер. с иврита Р. Жак]. – М. : Махаон, Азбука-Аттикус, 2018. – 96 с. : ил. – (Академия дошколят).

ISBN 978-5-389-00733-8

Во что может превратиться кусочек пластилина в руках ребенка? Это всегда талантливая и очень интересная импровизация. На занятиях Рони Орена, профессора израильской академии искусств «Бецалел», малыши не просто играют, они думают, фантазируют, изобретают, реализуют свои творческие замыслы и анализируют их результаты. А еще они учатся любить природу и жить в гармонии с окружающим миром. Эта книга поможет вам правильно воспитать и лучше узнать своего ребенка.

Рони Орен – известный художник и педагог. Он иллюстрировал более 30 детских книг. Многочисленные мультипликационные сериалы для детей, выполненные Рони Ореном методом анимации, многократно транслировались по ведущим мировым телеканалам: Би-би-си, «Уолт Дисней», 4-й британский канал и др.

УДК 379.8
ББК 74.100.5

ISBN 978-5-389-00733-8

АКАДЕМИЯ ДОШКОЛЯТ

РОНИ ОРЕН

СЕКРЕТЫ ПЛАСТИЛИНА™

Москва
«Махаон»

ПРЕДИСЛОВИЕ ДЛЯ ВЗРОСЛЫХ

Дети обязательно должны выражать свои чувства, эмоции и фантазии, свое отношение к окружающему миру. Пластилин – удивительный материал. Он не только дает малышам возможность реализовать свой творческий потенциал, помогает сформировать эстетический вкус, но и учит их жить в гармонии с природой.

Проведя сотни занятий в кружках лепки из пластилина с детьми от четырех до восьми лет, я пришел к выводу, что каждый ребенок легко может освоить эту технику и вылепить желаемые фигурки и предметы. Для этого нужно всего лишь правильно построить свои занятия, запомнить несколько простых правил и соблюдать необходимую последовательность в работе.

Из чего складывается успех методики

1. Все пластилиновые зверюшки и предметы в этой книге выполнены из трех основных элементов – шариков, валиков и лепешек, которые вылепить никому не составит труда.

2. В книге существует естественная и простая очередность пошаговых инструкций, понять которые очень легко и так же легко их выполнить.

3. Указания в книге неоднозначны. Ребенок, работающий над фигуркой, может менять цвет пластилина, размер деталей и создавать свои собственные элементы, насколько позволяет ему воображение.

Прекрасно, если характер фигурки, которую вылепит ребенок, будет отличаться от той, которая показана в книге. Это именно то, что делает творческую работу такой интересной и полной самых неожиданных решений. Ребенок сможет сравнить элемент, который он лепит, с иллюстрацией в книге (она приводит деталь в натуральную величину). Каждый зверек сопровождается рисованным фоном, что помогает осознать пластичность пластилина и многообразие творческих возможностей. Наши советы покажут ребенку множество путей создания самых различных предметов с помощью все тех же основных элементов – шариков, валиков и лепешек.

Указания в книге следуют от простых до более сложных. Желательно, чтобы дети до семи лет работали вместе со взрослым, который поможет им следить за указаниями и вылепить зверька в том порядке, как это показано в книге. Как только ребенок усвоит азы работы с пластилином, вы можете предоставить ему возможность работать самостоятельно. Во время работы над котенком, петушком или черепахой ребенок сможет создать свой собственный мир – не виртуальный, как это принято в наши дни, а самый настоящий, сделанный своими собственными руками. Этот мир будет населен зверюшками, которые малыш без труда вылепит из пластилина с помощью одного очень важного секрета. Откройте этот секрет маленькому ученику!

# ПРЕДИСЛОВИЕ ДЛЯ ДЕТЕЙ

САМЫЙ ВАЖНЫЙ СЕКРЕТ – ТРИ ОСНОВНЫХ ЭЛЕМЕНТА

Все пластилиновые зверюшки и предметы, о которых рассказано в этой книге, сделаны из трех основных элеметов – шариков, валиков и лепешек. Они могут быть самых разных размеров. Например, чтобы вылепить хвостик животного, вам нужно будет скатать маленький тонкий валик.  Толстый большой валик понадобится вам при изготовлении туловища. Иллюстрации на страницах книги, приведенные в натуральную величину, помогут определить нужные размеры и пропорции фигурок и их деталей.

ЕЩЕ ОДИН СЕКРЕТ – БЕЛЫЙ ЦВЕТ

Пластилин смешивается так же, как и краски. Так как белый цвет является основой для многих оттенков (розового, голубого, серого и др.), белого пластилина вам понадобится больше, чем пластилина других цветов. Чтобы получить пластилин нового оттенка, нужно хорошенько смешать пластилин нескольких имеющихся цветов. Иногда процесс смешивания отнимает довольно продолжительное время. Лучше всего смешивать маленькие кусочки пластилина, иначе такая работа может оказаться очень трудной.

ПЛАСТИЛИН

Хороший пластилин отличается яркостью, эластичностью, легко разминается, не прилипает к рукам и не оставляет пятен на руках и рабочей поверхности.

ПОДГОТОВКА К РАБОТЕ

Для работы с пластилином вам понадобятся предметы, которые имеются в каждом доме.
1. Зубочистки. Они нужны будут для скрепления различных деталей.
2. Пластиковый ножик. С его помощью вы легко разрежете пластилин. Если у вас вдруг не оказалось пластикового ножа, вы можете заменить его полоской картона.
3. Полоска картона. Ей удобно делать насечки и прорезать бороздки.
4. Шариковая ручка будет нужна для вырезания маленьких дырочек (например, ноздрей).
5. Серные головки спичек понадобятся вам для вырезания дырочек размером побольше (например, дырок в желтом сыре).
6. Скалка нужна для раскатывания пластилина.
7. Позаботьтесь и о своем рабочем месте. Рабочая поверхность должна быть ровной и удобной для работы.

ФИГУРКИ ЗВЕРЕЙ

Возможно, зверюшки, которые вы вылепите самостоятельно, будут отличаться от тех, которые в книге. Да и цвета могут получиться совсем другими. Но самое главное – это то, что вы научитесь, используя всего три простых элемента, легко создавать новые, придуманные вами образы.
Не бойтесь экспериментировать! Смело беритесь за дело и получайте удовольствие от творчества!

Желаю успехов!

Рони Орен

1 ТУЛОВИЩЕ И ГОЛОВА

а. Скатайте белый шарик.

б. Из белого шарика сформируйте толстенький валик и придайте ему форму груши.

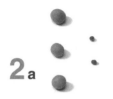

1 а

2 МОРДОЧКА

а. Скатайте три маленьких темно-розовых шарика (ушки и нос) и две крохотные черные бусинки (глазки).

б. Два темно-розовых шарика расплющите в две маленькие лепешки (ушки). Из оставшегося темно-розового шарика скатайте небольшой толстенький валик (нос).

в. Прикрепите нос к узкой части большой детали. Сформируйте мышке мордочку: прилепите ей ушки и глазки.

2 а

3 ХВОСТ И ЛАПКИ

а. Скатайте три темно-розовых шарика размером с маленькую горошину.

б. Из одного темно-розового шарика сформируйте длинный конусовидный валик. Из оставшихся розовых шариков скатайте два маленьких валика потолще (лапки).

в. Слегка изогните конусовидный валик – придайте ему форму хвостика.

г. Прикрепите хвостик к задней части туловища. Поставьте мышку на лапки, как показано на рисунке.

3 а

1 РАКОВИНА

а. Скатайте голубой шарик.

б. Сформируйте из него длинный конусовидный валик.

в. Скрутите валик в спираль так, чтобы узкий конец оказался внутри.

г. Так должна выглядеть раковина.

1 а

2 ТУЛОВИЩЕ И ГОЛОВА

а. Скатайте два розовых шарика.

б. Один розовый шарик раскатайте в валик.

в. Расплющите валик в конусовидную лепешку. Так должно выглядеть туловище улитки.

г. Прикрепите раковину к туловищу улитки. Широкую часть туловища улитки немного приподнимите вверх и прилепите к нему розовый шарик (голова). Серной головкой спички вырежьте на голове улитки небольшое отверстие (рот).

2 а

3 МОРДОЧКА

а. Скатайте сначала два маленьких темно-розовых шарика и два голубых шарика размером поменьше; затем – две крохотные черные бусинки (зрачки), два белых шарика (глаза) и еще один темно-розовый шарик (нос).

б. Сделайте улитке глазки – скрепите два белых шарика так, чтобы они немного соприкасались. Сверху прикрепите к ним зрачки. Внизу под глазками прилепите темно-розовый носик.

в. Два темно-розовых шарика раскатайте в валики и придайте им форму рожек улитки. Из двух голубых шариков скатайте валики и согните их полукругом (брови).

г. К голове улитки прикрепите рожки. Сформируйте улитке мордочку: прилепите под рожками брови. Между бровями и ртом прикрепите глаза с носиком.

3 а

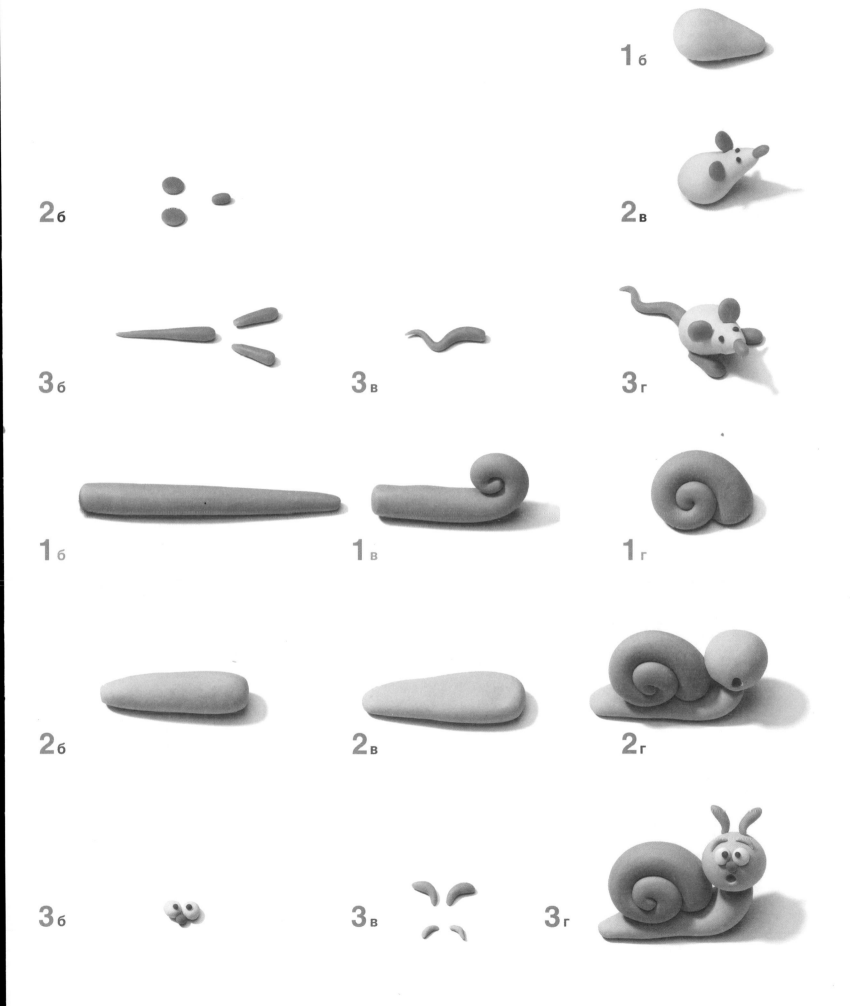

1 б

2 б

3 б

2 в

3 в

3 г

1 б

1 в

1 г

2 б

2 в

2 г

3 б

3 в

3 г

СЕКРЕТЫ ПЛАСТИЛИНА

ЦВЕТА. Туловище улитки вы можете сделать розовым, светло-коричневым, голубым или лиловым. И не забудьте, что оно обязательно должно иметь светлую окраску! Раковина также может быть любого цвета. Попробуйте скатать валик из кусочков пластилина разных цветов и сделать улитке разноцветную раковину.

ЦВЕТА. Мышка может быть белой, светло-коричневой или серой. Но почему бы ей не быть голубой, оранжевой или фиолетовой? Для того чтобы получить пластилин светло-коричневого цвета, следует смешать белый пластилин с небольшим количеством коричневого. Для того чтобы получить пластилин серого цвета, необходимо смешать белый пластилин с небольшим количеством черного. Чтобы получить пластилин голубого цвета, нужно смешать белый пластилин с небольшим количеством синего. А как же получить оранжевый цвет? Смешайте желтый пластилин с небольшим количеством красного.

ЖЕЛТЫЙ СЫР С КРАСНОЙ КОРОЧКОЙ. Смешайте желтый и белый пластилин. Скатайте шарик и сделайте из него толстую круглую лепешку. У вас получится головка желтого сыра. Чтобы покрыть сыр корочкой, возьмите кусочек красного пластилина и раскатайте его с помощью скалки в очень тонкий круглый и ровный по толщине пласт. Осторожно снимите его с рабочей поверхности. Заверните желтый сыр в красную «корочку» сверху вниз, не забывая слегка ее натягивать. Края «корочки» защипите внизу. Пластиковым ножиком вырежьте треугольник в головке сыра и сделайте в нем аппетитные дырочки, как показано на рисунке.

1 ГРЕБЕШОК И ТУЛОВИЩЕ

а. Скатайте три маленьких красных шарика (гребешок) и один большой желтый шарик.

б. Из желтого шарика сделайте толстенький валик и придайте ему форму яйца (туловище).

в. Соедините три красных шарика вместе и прикрепите получившийся гребешок к туловищу петушка, как показано на рисунке.

1 а

2 ГЛАЗА И КЛЮВ

а. Скатайте два маленьких белых шарика (глаза), две крохотные черные бусинки (зрачки) и один оранжевый шарик.

б. Прикрепите черные зрачки в центре глаз. Оранжевый шарик раскатайте в валик с немного заостренными краями.

в. Согните полученный валик пополам (клюв).

г. Оформите голову петушка – прикрепите ему глазки и клювик.

2 а

3 КРЫЛЬЯ

а. Скатайте два зеленых шарика размером с крупную горошину.

б. Сформируйте из полученных шариков два толстеньких валика.

в. Расплющите зеленые валики в две продолговатые лепешки (крылья).

г. Загните концы полученных лепешек немного вверх. Так должны выглядеть крылья петушка.

д. Прикрепите крылья по бокам туловища.

3 а

4 ХВОСТИК

а. Скатайте три шарика размером с маленькую горошину. (Обратите внимание на цвет шариков!)

б. Из полученных шариков скатайте три валика.

в. Слегка согните валики и укрепите их один над другим (хвостик).

г. Прикрепите хвостик к задней части туловища петушка.

4 а

5 ЛАПКИ

а. Скатайте два оранжевых шарика размером с маленькую горошину.

б. Из полученных шариков сформируйте два толстеньких оранжевых валика.

в. Расплющите валики в две конусовидные лепешки.

г. На каждой лепешке сделайте по две насечки. Так должны выглядеть лапки.

д. Прикрепите лапки к туловищу петушка.

5 а

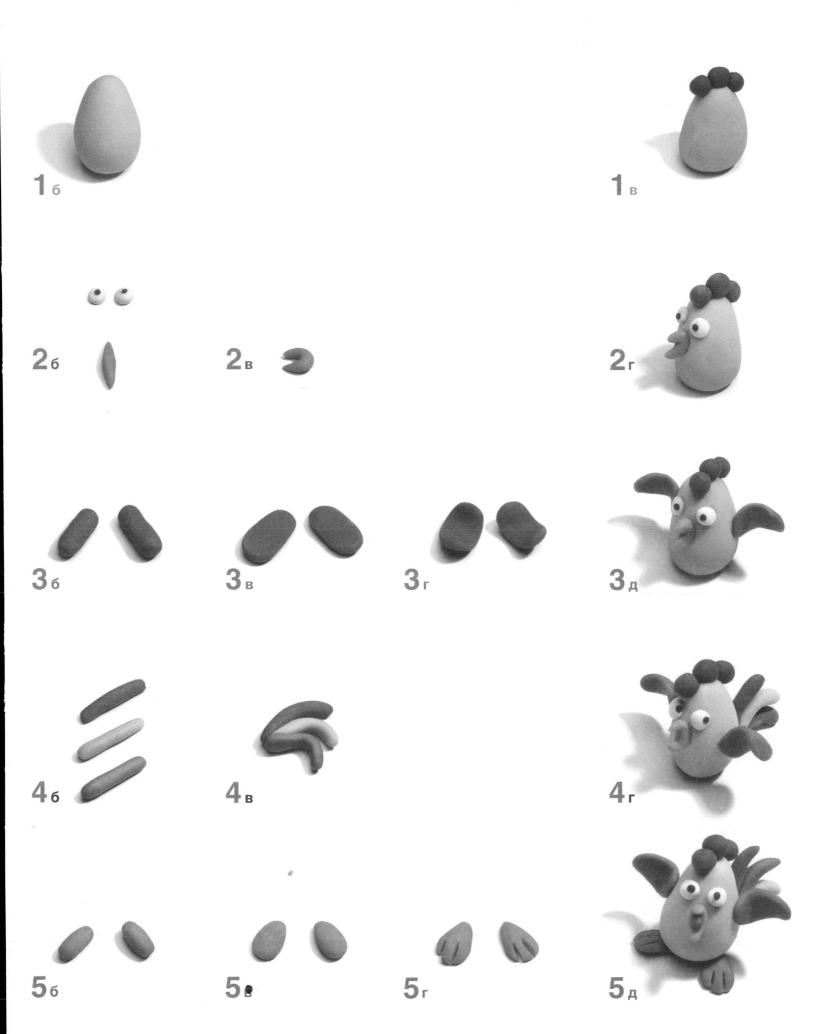

1 б

1 в

2 б

2 в

2 г

3 б

3 в

3 г

3 д

4 б

4 в

4 г

5 б

5 в

5 г

5 д

СЕКРЕТЫ ПЛАСТИЛИНА

ЦВЕТА. Туловище петушка может быть желтым, белым или светло-коричневым. Чтобы получить светло-коричневый цвет, нужно смешать белый пластилин с небольшим количеством коричневого. Крылья и хвостик должны отличаться по цвету от туловища. Гребешок петушка обычно крупнее гребешка курочки.

ЦЫПЛЕНОК. Желто-оранжевый цыпленок будет выглядеть очень симпатично. Такой цвет можно получить, если смешать желтый пластилин с небольшим количеством красного. Хвостик и лапки цыпленка могут быть другого оттенка. Скатайте из шарика валик и придайте ему форму яйца (туловище). Сделайте цыпленку глазки – скатайте два маленьких белых шарика. Расплющите их в лепешки. Прикрепите в центре глаз крохотные черные бусинки. Из двух маленьких оранжевых валиков сформируйте лапки. Вылепите цыпленку клювик – скатайте маленький валик в форме морковки. Из маленьких продолговатых лепешек сделайте крылья. Головку цыпленка украсьте перышком – скатайте маленький желтый валик и придайте ему нужную форму.

ГУСЕНИЦЫ И ЧЕРВЯКИ. Гусеницы и червяки могут быть разных цветов. Их делают из нескольких шариков. Осторожно соедините шарики друг с другом. Размер шариков увеличивается от хвоста к голове. К самому большому шарику (головке) прикрепите два маленьких белых шарика (глаза). К каждому глазику прилепите по одной черной крохотной бусинке (зрачки). Не забудьте сделать гусенице носик. Для этого вам понадобится маленький шарик. Выберите для него подходящий цвет. Чтобы ваша гусеница могла разговаривать, у нее должен быть рот. Аккуратно прорежьте его полоской картона.

1 ТУЛОВИЩЕ И ГОЛОВА

а. Скатайте один большой зеленый шарик.

б. Раскатайте полученный шарик в толстенький валик (туловище и голова).

в. В верхней части валика сделайте пальцем небольшое углубление (рот).

г. Осторожно надавите сверху на валик над ртом так, чтобы он немного сплющился, осел и прикрыл рот.

1 а

2 ЯЗЫЧОК

а. Скатайте красный шарик размером с мелкую горошину.

б. Раскатайте полученный шарик в толстенький валик.

в. Сделайте из валика маленькую лепешку (язычок).

г. Вставьте язычок в рот лягушки.

2 а

3 ГЛАЗА

а. Скатайте два маленьких синих шарика (веки), два желтых шарика размером побольше (глаза) и две крохотные черные бусинки (зрачки).

б. Из двух синих шариков сделайте два маленьких валика.

в. Сплющите синие валики в маленькие веретенообразные лепешки (веки).

г. Слепите вместе два жёлтых шарика. Прикрепите к каждому из них по одной черной крохотной бусинке. Сверху к глазкам приклейте веки.

д. Сформируйте лягушке мордочку, как показано на рисунке. Глазки должны быть вверху. Серной головкой спички в нужном месте прорежьте маленькие дырочки (ноздри).

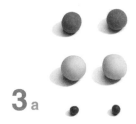

3 а

4 ЗАДНИЕ ЛАПКИ

а. Скатайте два зеленых шарика.

б. Сделайте из них два длинных валика.

в. Согните валики и слегка сплющите их концы, как показано на рисунке (задние лапки).

г. На сплющенной части лапок сделайте по две небольшие насечки (перепонки). В этом случае лучше воспользоваться полоской картона.

д. Прикрепите задние лапки к нижней части туловища лягушки.

4 а

5 ПЕРЕДНИЕ ЛАПКИ

а. Скатайте два зеленых шарика такого же размера, как на рисунке.

б. Сформируйте из них два длинных валика.

в. Придайте валикам правильную форму. Слегка прищипните их в нужном месте (передние лапки).

г. Краем полоски картона сделайте по две небольшие насечки на сплющенной части лапок. На лапках должны быть видны перепонки.

д. Прикрепите передние лапки с обеих сторон верхней части туловища лягушки.

5 а

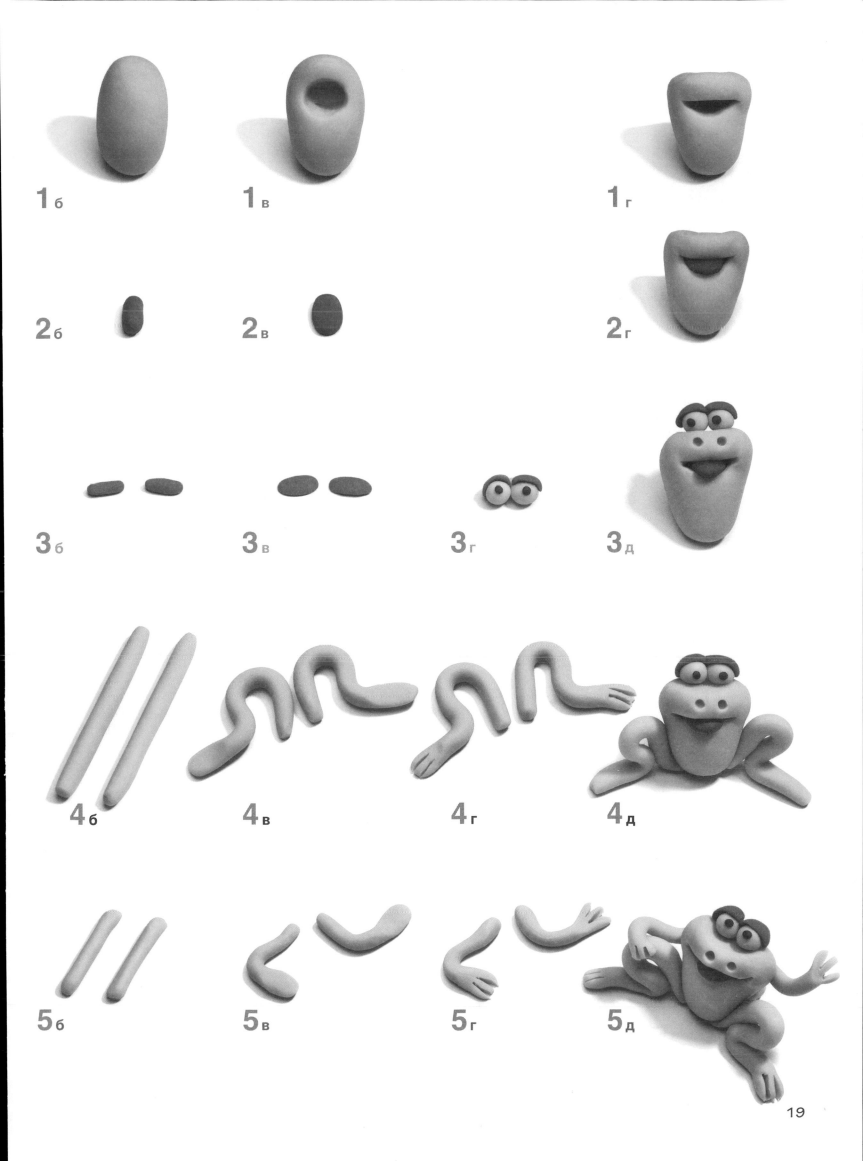

1б   1в   1г

2б   2в   2г

3б   3в   3г   3д

4б   4в   4г   4д

5б   5в   5г   5д

19

СЕКРЕТЫ ПЛАСТИЛИНА

ЦВЕТА. Лягушке подойдет любой оттенок зеленого цвета. Как сделать темно-зеленый пластилин? Смешайте зеленый пластилин с небольшим количеством синего. Пластилин светло-зеленого цвета можно получить, смешав зеленый пластилин с желтым. Чтобы цвет был однородным, необходимо хорошенько перемешать пластилин. Вы можете вылепить лягушку из однородного зеленого пластилина и добавить к нему крапинки другого оттенка зеленого цвета.

ОЗЕРО. Раскатайте скалкой голубой пластилин в гладкий и тонкий пласт желаемого размера и пропорций. Голубой цвет вы можете получить, смешав белый пластилин с небольшим количеством синего. Вокруг озера должен быть виден берег – прикрепите к его краям пластилин песочного или любого другого цвета.

ЛЯГУШКА В ВОДЕ. Положите полностью слепленную лягушку спинкой на рабочую поверхность и срежьте ту ее часть, которая будет находиться над водой (на готовой фигурке легче выбрать удобное место для среза). «Посадите» лягушку в воду, как это показано на рисунке.

ЯЗЫЧОК ЛЯГУШКИ И СТРЕКОЗА. В длинном язычке, на кончике которого сидит стрекоза, спрятана зубочистка. Заверните зубочистку в тонкую лепешку из красного пластилина. Раскатайте валик-язычок на рабочей поверхности таким образом, чтобы его толщина была одинаковой по всей длине. Вставьте один конец язычка в рот лягушке, а на другой конец посадите стрекозу.

1 ГОЛОВА

а. Скатайте два серых шарика размером с маленькую горошину и два шарика побольше – один шарик серого цвета и еще один розовый.

б. Маленькие серые шарики раскатайте в два веретенообразных валика (ушки). Их края должны быть острыми. Из серого шарика размером побольше сформируйте толстый конусовидный валик (голова).

в. Расплющите два остроконечных валика в веретенообразные лепешки (ушки). Прикрепите розовый шарик (нос) к нижней – более широкой – части головы.

г. Прилепите ушки к голове и слегка отогните их в стороны. Кончики ушек должны быть опущены вниз. С помощью серной головки спички прорежьте маленькие дырочки (ноздри).

1а

ГЛАЗА

а. Скатайте два маленьких белых шарика (глаза) и две крохотные черные бусинки (зрачки).

б. Соедините белые и черные шарики так, как показано на рисунке.

в. Прилепите глазки к голове.

2а

3 ЧЕЛКА

а. Скатайте один маленький черный шарик.

б. Расплющите шарик и придайте ему овальную форму.

в. Правильно согните деталь. Так должна выглядеть челка.

г. Прикрепите челку на затылке ослика между ушками.

3а

4 ТУЛОВИЩЕ

а. Скатайте один большой серый шарик.

б. Сначала раскатайте серый шарик в толстый валик, а затем придайте ему форму яйца (туловище).

в. Воткните в верхнюю часть туловища зубочистку, на ней будет крепиться голова.

г. Нанижите голову ослика на кончик зубочистки и прикрепите ее к туловищу.

4а

5 НОГИ

а. Скатайте четыре серых шарика размером с горошину и четыре лиловых шарика поменьше.

б. Серые шарики раскатайте в длинные валики (ноги). Лиловые шарики расплющите в толстенькие лепешки (копыта).

в. Прикрепите ножки к туловищу ослика так, как показано на рисунке. Прилепите к ножкам копытца.

5а

6 ХВОСТИК

а. Скатайте один серый шарик размером с горошину и один маленький черный шарик.

б. Серый шарик раскатайте в длинный конусовидный валик (хвостик). Из черного шарика сделайте валик в виде кисточки.

в. Правильно согните хвостик и прилепите к нему кисточку.

г. Прикрепите хвостик сзади к туловищу ослика.

6а

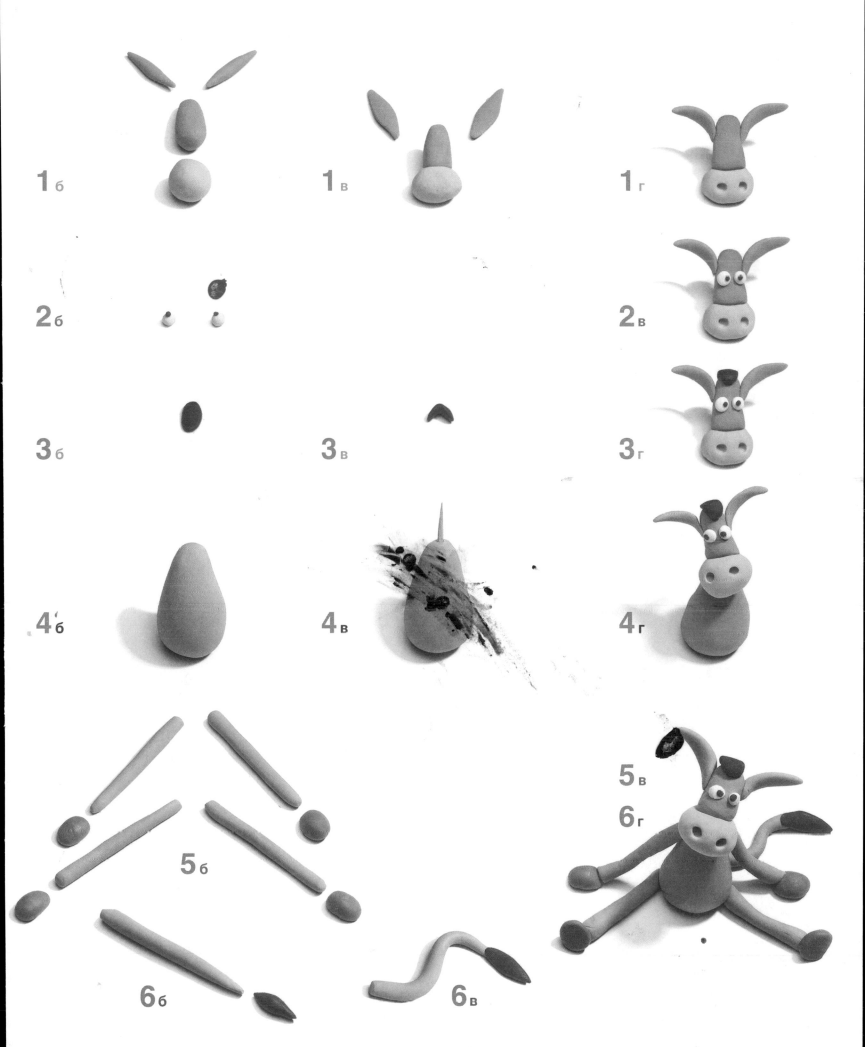

1б

1в

1г

2б

2в

3б

3в

3г

4б

4в

4г

5б

5в
6г

6б

6в

23

СЕКРЕТЫ ПЛАСТИЛИНА

ЦВЕТА. Ослик может быть любого цвета. Но чтобы фигурка животного была более выразительной, нос ослику лучше вылепить из другого, более светлого пластилина.

ТЕЛЕЖКА. Основание тележки (на рисунке его не видно) делается из кубика пластилина такого же цвета, как и сама тележка, но меньшего размера. Вставьте в основание тележки половинку зубочистки. На кончик зубочистки насадите синий кубик пластилина (коляска). Слепите из двух толстых круглых лепешек пластилина для тележки колеса. К середине каждого колеса прикрепите круглую маленькую красную лепешку. Крыло для колеса можно сделать из изогнутой красной лепешки. Колеса тележки тоже насаживаются на кончики зубочисток, но так, чтобы эти колеса заслоняли основание тележки. На синюю коляску положите большую желтую лепешку. Она должна быть шире, чем коляска. Краем полоски картона сделайте на покрытии коляски небольшие бороздки и прикрепите к ним тоненькие валики желтого и оранжевого цвета (солома). В переднюю часть коляски воткните две зубочистки и к ним прилепите два длинных красных валика с обрезанными концами. Это оглобли. К ним вы сможете прикрепить ослика.

СБРУЯ И ВОЖЖИ. Для работы вам понадобится голубой пластилин. Этот цвет вы можете получить, смешав белый пластилин с небольшим количеством синего. Расплющите голубую лепешку и раскатайте ее скалкой на рабочей поверхности в очень тонкий ровный пласт. С помощью пластикового ножика разрежьте пласт на узкие ленточки и осторожно снимите их с рабочей поверхности. Оберните место соединения головы с носом ослика голубой ленточкой и с каждой стороны прикрепите более длинную ленточку – вожжи. К местам их соединения прилепите маленькие красные шарики.

1 ГОЛОВА И УШКИ

а. Скатайте один коричневый и один белый шарик размером с горошину (ушки), один белый шарик побольше (голова), один маленький коричневый шарик (пятнышко) и один, самый маленький, черный шарик (нос).

б. Коричневый и белый шарики раскатайте в два небольших валика. Из белого шарика размером побольше скатайте толстенький валик (голова). Расплющите маленький коричневый шарик в лепешку (пятнышко), а из самого маленького черного шарика сформируйте маленький короткий валик (нос).

в. Расплющите коричневый и белый валики в продолговатые лепешки (ушки). Проделайте небольшую ямку в верхней части головы и прикрепите на этом месте коричневое пятнышко. К середине нижней части головы прилепите черный носик.

г. Прикрепите собачке ушки так, как показано на рисунке.

1 а

2 БРОВИ И ГЛАЗА

а. Скатайте два очень маленьких коричневых шарика, два маленьких голубых шарика (глаза) и две крохотные черные бусинки (зрачки).

б. Раскатайте два коричневых шарика в маленькие валики (брови).

в. К середине каждого глаза прилепите крохотный черный зрачок.

г. Прикрепите к мордочке собачки сначала брови, а затем – глазки.

2 а

3 ТУЛОВИЩЕ

а. Скатайте один большой белый шарик и два коричневых шарика – один маленький, а другой чуть побольше.

б. Белый шарик раскатайте в толстый валик и придайте ему форму яйца (туловище). Расплющите коричневые шарики в небольшие лепешки (пятнышки).

в. Прикрепите пятнышки к туловищу собачки. В верхнюю часть туловища воткните половинку зубочистки.

г. Насадите деталь головы собачки на зубочистку и прикрепите ее к туловищу.

3 а

4 ЛАПКИ

а. Скатайте один коричневый шарик и три белых шарика размером с крупную горошину.

б. Полученные шарики раскатайте в валики. Один конец каждого валика должен быть немного толще, чем другой (лапки).

в. Чтобы лапки собачки приобрели правильную форму, утолщенные концы валиков нужно немного расплющить. Аккуратно приподнимите расплющенные концы задних лапок.

г. Прикрепите белый и коричневый валики (передние лапки) вверху по бокам туловища. Два оставшихся валика (задние лапки) прикрепите к туловищу внизу и раздвиньте их так, как показано на рисунке.

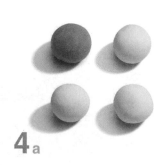

4 а

5 ХВОСТИК И РОЗОВЫЕ ПОДУШЕЧКИ НА ЛАПКАХ

а. Скатайте один коричневый шарик размером с горошину и восемь очень маленьких розовых шариков (подушечки на лапках).

б. Коричневый шарик раскатайте в конусовидный валик и придайте ему форму хвостика.

в. Прилепите хвостик к задней части туловища. К каждой ступне на задних лапках собачки прикрепите по четыре розовые подушечки.

5 а

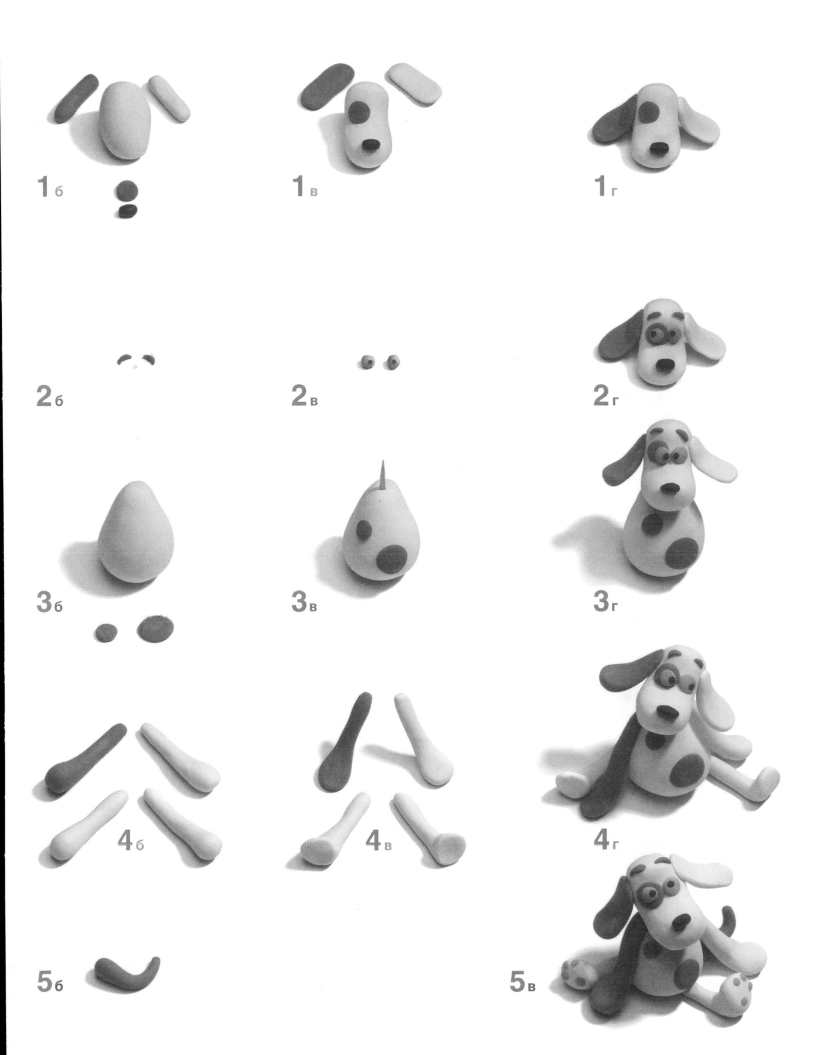

1б
1в
1г

2б
2в
2г

3б
3в
3г

4б
4в
4г

5б
5в

СЕКРЕТЫ ПЛАСТИЛИНА

ЦВЕТА. Собачка может быть любого цвета – серая, черная, оранжевая, голубая, белая с коричневыми пятнышками, коричневая с белыми пятнышками и т. д. Делайте ее такой, как вам захочется.

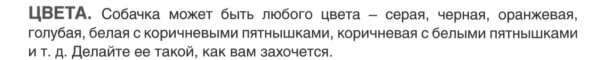

УШКИ. С формой ушек можно (и даже желательно!) поимпровизировать. Они могут быть стоячими, с опущенными кончиками, висячими и т. д. Все будет зависеть от породы, характера и настроения вашей собачки.

СОБАЧКА, ДЕЛАЮЩАЯ СТОЙКУ. Вылепите собачке задние лапки согласно инструкции на с. 26. Поставьте лапки (без туловища) на поверхность из пластилина. Воткните в каждую лапку зубочистку сверху вниз таким образом, чтобы эти зубочистки вонзились в поверхность из пластилина, на которой стоят лапки. Зубочистки должны быть длиннее, чем лапки. На острия зубочисток, торчащие из лапок, насадите туловище собачки. Затем прикрепите к туловищу собачки остальные детали.

КОМОД. Для комода вы можете выбрать любой цвет. Вылепите из пластилина кубик. Обрежьте его с помощью пластикового ножика согласно размеру ящичков. Прорежьте на внешней стороне комода щели между ящичками. Скатайте шарики-ручки из пластилина разных цветов и прикрепите их в центре каждого ящичка.

1 ГОЛОВА И УШКИ

а. Скатайте два оранжевых шарика размером с маленькую горошину и один большой желтый шарик (голова).

б. Расплющите оранжевые шарики в треугольные лепешки (ушки).

в. Прикрепите ушки к голове котенка.

1 **а**

2 НОС И ЩЕЧКИ

а. Скатайте маленький розовый и два оранжевых шарика размером побольше (щечки).

б. Скрепите щечки так, чтобы они соприкасались друг с другом. Сверху к ним прилепите нос.

в. Прикрепите щечки и носик к мордочке котенка, как показано на рисунке.

2 **а**

3 БРОВИ

а. Скатайте два очень маленьких розовых шарика.

б. Раскатайте полученные шарики в валики.

в. Придайте валикам дугообразную форму (брови).

г. Прикрепите брови к верхней части мордочки.

3 **а**

4 ГЛАЗА И РОТ

а. Скатайте два маленьких оранжевых шарика, два белых шарика чуть побольше (глаза) и две крохотные черные бусинки (зрачки).

б. Оранжевые шарики раскатайте в два маленьких веретенообразных валика с немного заостренными концами.

в. Расплющите два оранжевых валика в веретенообразные лепешки (веки). К середине каждого глаза прикрепите крохотный черный зрачок.

г. Наложите на глазки веки.

д. Сформируйте котенку мордочку – прикрепите глазки под бровями. Серной головкой спички под щечками вырежьте рот.

4 **а**

5 ТУЛОВИЩЕ

а. Скатайте такие же оранжевый и желтый шарики, как на рисунке.

б. Оранжевый шарик раскатайте в валик и придайте ему форму яйца (туловище). Желтый шарик раскатайте в конусовидный валик.

в. Расплющите желтый валик в конусовидную лепешку (грудка).

г. Прикрепите желтую грудку к оранжевому туловищу. В верхний зауженный конец туловища воткните зубочистку.

д. Насадите голову котенка на зубочистку и прикрепите ее к туловищу.

5 **а**

6 ЛАПКИ И ХВОСТИК

а. Скатайте четыре желтых шарика, один оранжевый шарик размером с большую горошину и еще шестнадцать очень маленьких розовых шариков (подушечки на лапках).

б. Желтые шарики раскатайте в длинные валики (лапки), а из оранжевого шарика сформируйте длинный веретенообразный валик с немного заостренными концами (хвостик).

в. Расплющите желтые валики с одного конца. Оранжевому валику придайте форму хвостика.

г. Аккуратно приподнимите расплющенные концы лапок и прилепите к ним по четыре розовые подушечки.

д. Прикрепите две передние лапки котенка вверху по бокам туловища. Задние лапки прикрепите к туловищу внизу и раздвиньте их так, как показано на рисунке. Сзади прилепите хвостик.

6 **а**

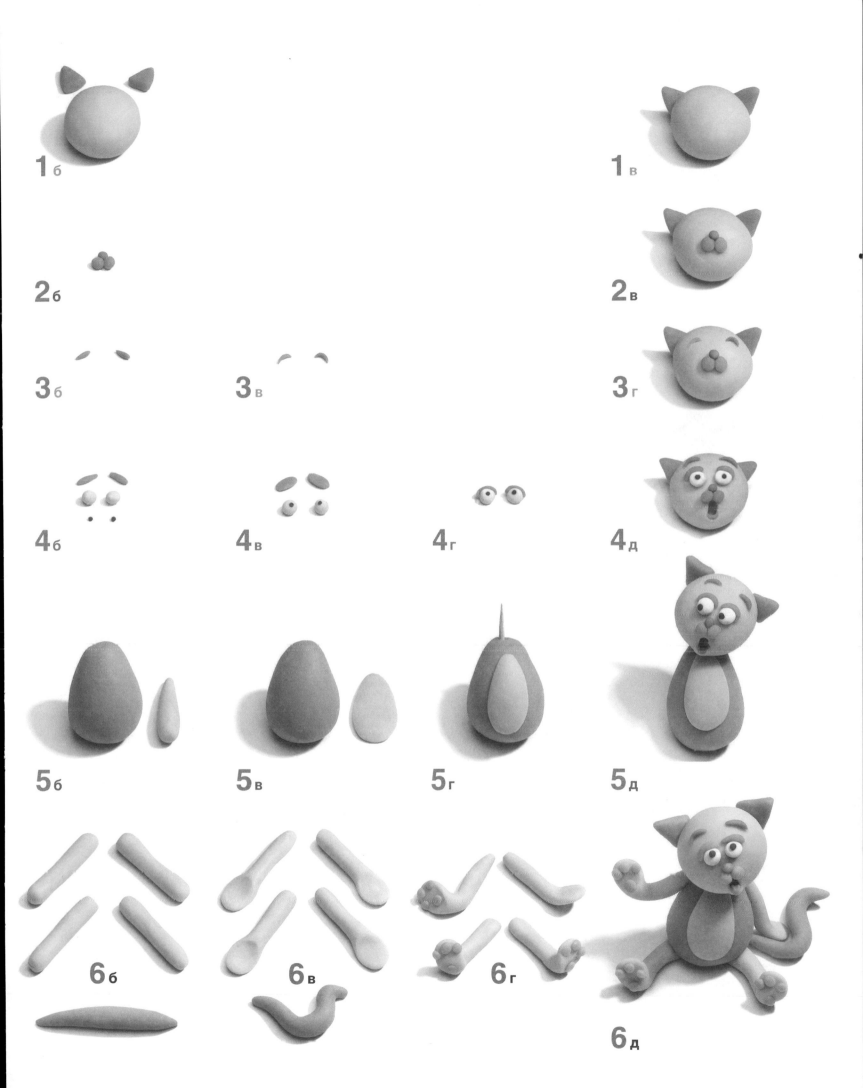

1б   1в

2б   2в

3б   3в   3г

4б   4в   4г   4д

5б   5в   5г   5д

6б   6в   6г   6д

СЕКРЕТЫ ПЛАСТИЛИНА

ЦВЕТА. Для котенка подойдет любой цвет – желтый, оранжевый, черный, серый, белый или голубой. Котенок может быть толстеньким или худеньким, веселым или грустным – таким, каким вам хочется его видеть. Чем больше вы фантазируете, тем лучше у вас получится.

ЛОМТИК ЖЕЛТОГО СЫРА. На рисунке сыр выглядит очень аппетитно. А ведь он сделан из пластилина. Вы тоже хотите получить такой цвет? Тогда смешайте желтый пластилин с белым. Раскатайте пластилин в тонкий пласт с помощью скалки или другого похожего предмета с гладкой поверхностью. Краем полоски картона или пластиковым ножиком вырежьте прямоугольник. Кончиком корпуса шариковой ручки сделайте в сыре круглые дырочки.

МУСОРНЫЕ БАЧКИ. На рисунке бачки серого цвета. Такой цвет вы можете получить, смешав большое количество белого пластилина с небольшим количеством черного. Чтобы цвет был однородным, нужно хорошенько перемешать пластилин! Скатайте большие и толстые серые валики. Один конец у них должен быть немного шире, чем другой. Сделайте надрез глубиной около сантиметра параллельно внешней стенке бачка. Вырежьте верхнюю внутреннюю часть бачка и оставьте бортики. В верхней части бачка у вас должно получиться углубление. Рифленую поверхность бачка можно сделать, прижимая к пластилину круглый карандаш с гладкой поверхностью. Ручки бачка слепите из тонких валиков. Прикройте места соединения ручек с поверхностью бачка лепешками, разрезанными на прямоугольники.

РЫБИЙ ХРЕБЕТ. Скатайте длинный и очень тонкий валик из белого пластилина и прикрепите к нему с обеих сторон короткие и тоненькие белые валики с заостренными кончиками. Рыбий хвост можно сделать из треугольной лиловой лепешки с нанесенными в нескольких местах насечками. Голову рыбы слепите из тонкой лепешки. Пластиковым ножиком прорежьте в ней маленький треугольник (рот), а кончиком корпуса шариковой ручки – глаз.

1 ГОЛОВА И УШКИ

а. Скатайте два белых маленьких шарика и один белый шарик побольше.

б. Два маленьких шарика раскатайте в длинные веретенообразные валики с немного заостренными концами, а шарику побольше придайте форму яйца (голова).

в. Расплющите два веретенообразных валика в лепешки (ушки).

г. Прилепите ушки к голове кролика и придайте им красивую форму.

1 а

2 НОС, ЩЕЧКИ И ЗУБКИ

а. Скатайте один маленький темно-розовый шарик (нос), два светло-розовых шарика чуть большего размера (щечки) и два очень маленьких белых шарика (зубки).

б. Скрепите щечки так, чтобы они соприкасались друг с другом. Сверху к ним прилепите нос. Зубки должны быть внизу.

в. Прикрепите щечки, зубки и нос к мордочке кролика.

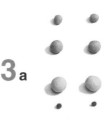

2 а

3 ГЛАЗА И БРОВИ

а. Скатайте два очень маленьких синих шарика (брови), два маленьких синих шарика (веки), два белых шарика побольше (глазки) и две крохотные черные бусинки (зрачки).

б. Все синие шарики раскатайте в валики. Слепите кролику глазки – к середине каждого глаза прикрепите крохотный черный зрачок.

в. Аккуратно согните самые маленькие синие валики и придайте им форму бровей. Из оставшихся синих валиков сделайте веретенообразные лепешки (веки).

г. Прикрепите брови к верхней части мордочки, а между бровями и носом прилепите глаза. Сверху по краям глаз наклейте синие веки.

3 а

4 ТУЛОВИЩЕ

а. Скатайте один розовый шарик размером с горошину и один большой белый шарик.

б. Розовый шарик раскатайте в конусовидный валик. Из белого шарика скатайте валик и придайте ему форму яйца (туловище).

в. Расплющите розовый валик в конусовидную лепешку (грудка), а в верхний конец туловища воткните половинку зубочистки.

г. Прикрепите розовую грудку к белому туловищу кролика. Насадите голову кролика на зубочистку и прикрепите ее к туловищу.

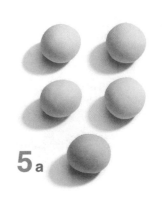

4 а

5 ЛАПКИ И ХВОСТИК

а. Скатайте четыре белых и один розовый шарик (хвостик).

б. Два белых шарика раскатайте в длинные валики (передние лапки), а из двух оставшихся шариков сделайте валики чуть короче и плотнее (задние лапки).

в. Осторожно согните передние лапки и отведите в стороны «ладошки». Немного расплющите задние лапки и на конце каждой из них сделайте по два надреза («пальчики»).

г. Прикрепите туловище кролика к задним лапкам. Сверху по бокам туловища прилепите передние лапки. Хвостик должен быть сзади.

5 а

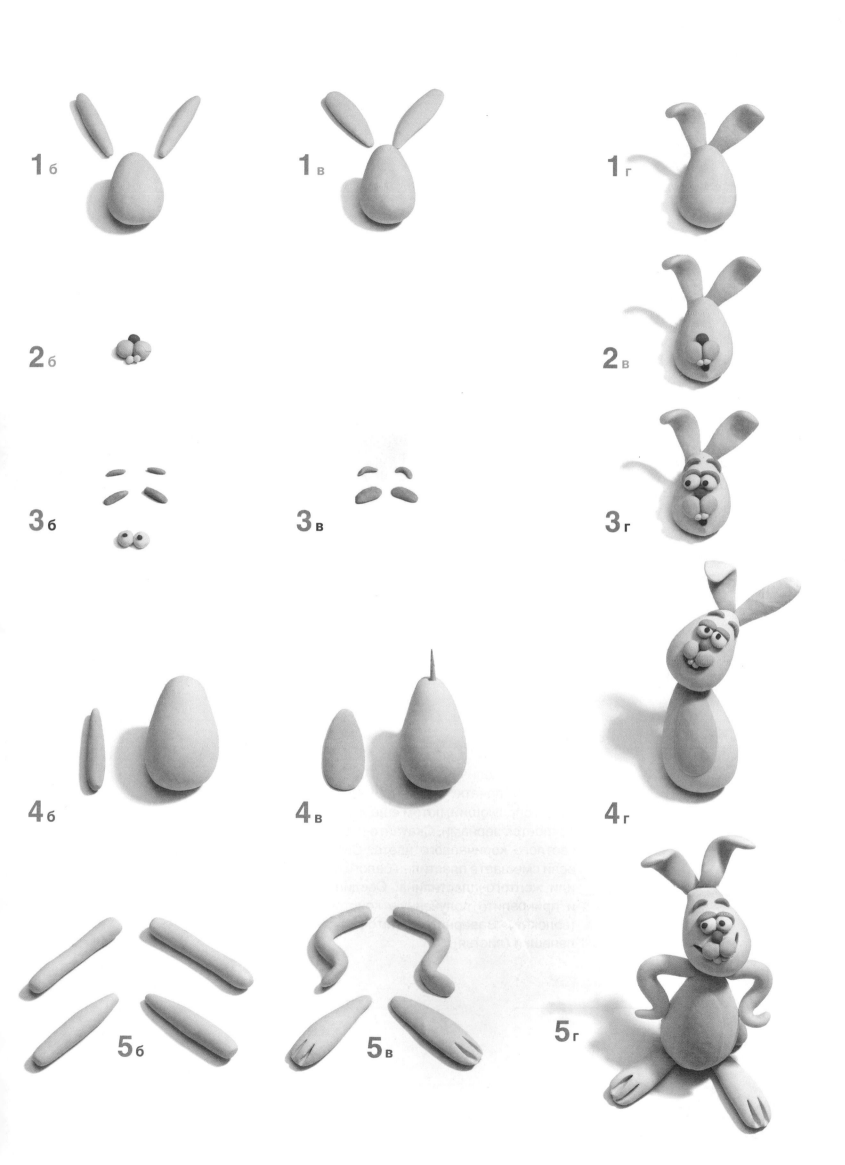

1 б

1 в

1 г

2 б

2 в

3 б

3 в

3 г

4 б

4 в

4 г

5 б

5 в

5 г

СЕКРЕТЫ ПЛАСТИЛИНА

ЦВЕТА. Конечно же кролик может быть самых разных цветов, но лучше его лепить из светлого пластилина – белого, розового или светло-голубого. Розовый цвет можно получить, если смешать белый пластилин с небольшим количеством красного. Как сделать пластилин светло-голубым? Смешайте белый пластилин с небольшим количеством синего.

МОРКОВЬ. Скатайте маленький оранжевый шарик. Для получения нужного цвета смешайте желтый пластилин с небольшим количеством красного. Шарик раскатайте в валик и придайте ему форму моркови. Краем полоски картона нанесите на морковь небольшие поперечные насечки. Скатайте несколько мелких и тонких зеленых валиков разных оттенков. Постепенно добавляя и смешивая желтый или синий пластилин с зеленым, вы сможете добиться желаемого результата. Скрепите концы зеленых валиков один с другим (листья моркови) и прилепите полученный пучок в нужное место.

КУКУРУЗА. Скатайте продолговатый желтый валик (початок кукурузы) и большое количество маленьких желтых шариков (зерна). Прикрепите желтые шарики к початку кукурузы как можно плотнее. Сначала сделайте один ряд, затем следующий, потом еще и еще – до тех пор, пока весь початок кукурузы не покроется зернами. Скатайте небольшие тоненькие валики желтого или очень светлого коричневого цвета. Светло-коричневый цвет вы можете получить, если смешаете пластилин белого цвета с небольшим количеством коричневого или желтого пластилина. Соедините концы желтых валиков один с другим и прикрепите полученную конструкцию с одной стороны початка кукурузы (волокна). Заверните початок в две-три светло-зеленые веретенообразные лепешки (листья).

1 ПАНЦИРЬ

а. Скатайте один большой желтый шарик.

б. Разрежьте шарик на две равные части (панцирь).

в. Положите одну половинку на рабочую поверхность срезом вниз.

1 а

2 ОРАНЖЕВЫЕ ПЯТНЫШКИ НА ПАНЦИРЕ

а. Скатайте одиннадцать оранжевых шариков размером с маленькую горошину.

б. Расплющите оранжевые шарики в лепешки (оранжевые пятнышки).

в. Прикрепите оранжевые пятнышки к желтому панцирю.

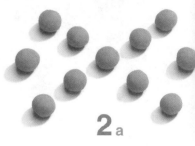

2 а

3 ЗЕЛЕНЫЕ ПЯТНЫШКИ НА ПАНЦИРЕ

а. Скатайте одиннадцать зеленых шариков размером меньше, чем оранжевые.

б. Расплющите зеленые шарики в лепешки (зеленые пятнышки).

в. Прикрепите каждое зеленое пятнышко к оранжевому пятнышку на панцире.

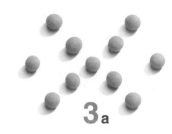

3 а

4 ГОЛОВА И ШЕЯ

а. Скатайте один голубой шарик нужного размера.

б. Раскатайте шарик в конусовидный валик.

в. Продавите пальцем пластилин в середине толстого конца валика и проделайте ямку (рот).

г. Осторожно надавите на верхнюю часть валика над ртом. Деталь должна выглядеть так, как на рисунке.

д. Большим и указательным пальцами аккуратно сплющите верхнюю часть головки черепахи.

е. Отогните узкую часть валика немного назад.

ж. Вырежьте в передней части панциря ямку и вставьте в нее шею черепахи. С обеих сторон мордочки черепахи серной головкой спички сделайте небольшие дырочки – ноздри.

4 а

5 ГЛАЗА

а. Скатайте два маленьких лиловых шарика, два белых шарика чуть побольше (глаза) и две крохотные черные бусинки (зрачки).

б. Из лиловых шариков скатайте два маленьких валика.

в. Расплющите лиловые валики в продолговатые лепешки (веки).

г. Сверху по краям глаз наклейте лиловые веки и к середине каждого глаза прикрепите крохотный черный зрачок.

д. Прилепите глазки к голове черепахи.

5 а

6 НОЖКИ И ХВОСТИК

а. Скатайте четыре голубых шарика средней величины и один голубой шарик размером поменьше.

б. Голубые шарики средней величины раскатайте в толстые валики (ножки), а из оставшегося шарика скатайте небольшой конусовидный валик (хвостик).

в. Нажмите пальцем на один конец каждого из толстых валиков (прижмите их к рабочей поверхности), а другой конец поднимите вверх.

г. Уложите панцирь на ножки черепахи. Не забудьте сзади прикрепить ей хвостик.

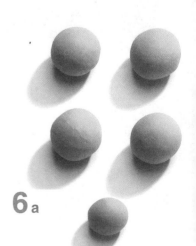

6 а

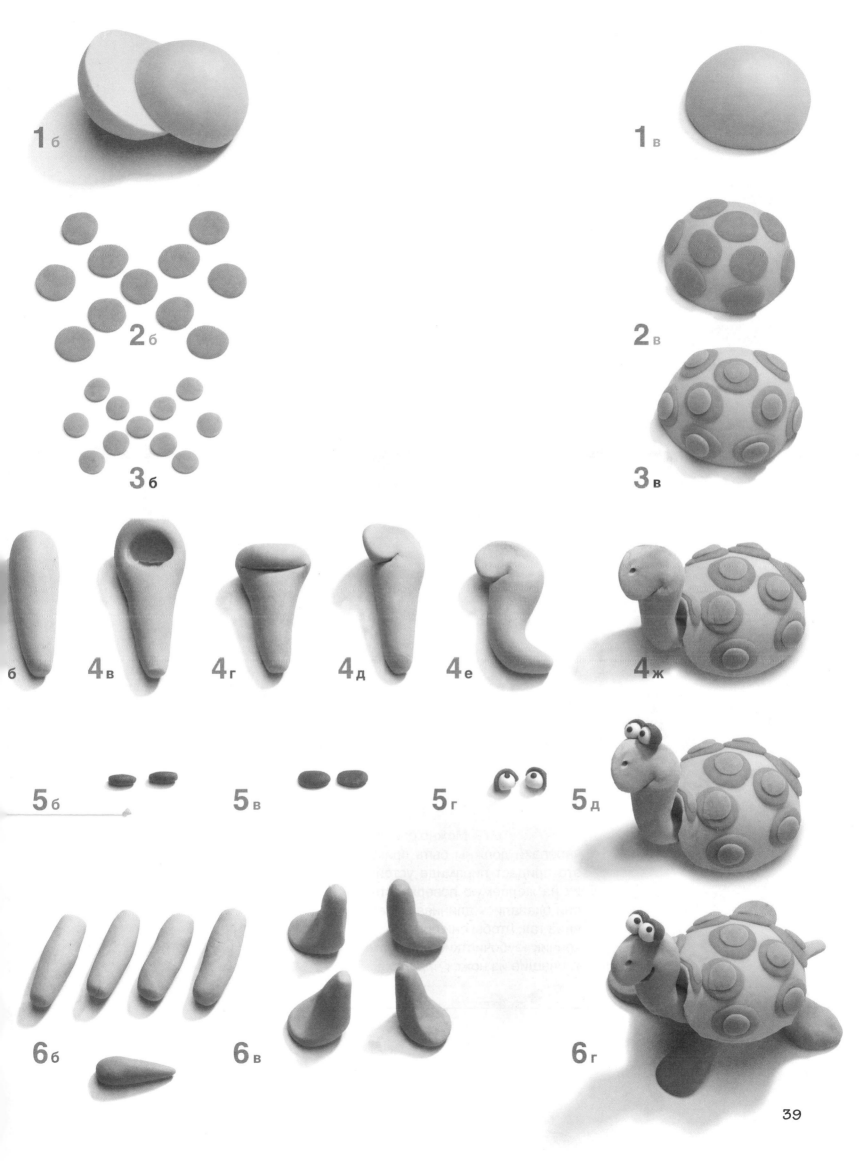

1б

1в

2б

3б

2в

3в

б

4в

4г

4д

4е

4ж

5б

5в

5г

5д

6б

6в

6г

39

СЕКРЕТЫ ПЛАСТИЛИНА

ЦВЕТА. Черепаха может быть разных цветов – голубого, светло-коричневого, розового, зеленого и т. д. Панцирь по цвету должен отличаться от туловища черепахи. Как сделать пластилин голубым? Смешайте белый пластилин с небольшим количеством синего. А розовый? Смешайте белый пластилин с небольшим количеством красного. Если вы смешаете коричневый пластилин с желтым или белым, то получите светло-коричневый цвет.

ЖИВОТ ЧЕРЕПАХИ. Живот черепахи может быть такого же цвета, что и ее панцирь, а может быть и любого другого цвета. Скатайте шарик нужного вам цвета, положите его на рабочую поверхность и раскатайте в пласт. Ширина пласта должна быть немного меньше, чем ширина нижней части панциря. Пласт должен выглядеть ровным с внутренней и выпуклым с внешней стороны. Прикрепите пласт ровной стороной к ровной (нижней) стороне панциря. Краем полоски картона нанесите на животе черепахи поперечные прорези.

ОСТРОВ ЧЕРЕПАХ. Море, в центре которого будет располагаться остров, можно сделать из синего пластилина. Раскатайте большую синюю лепешку пластом с помощью скалки. Море может быть изготовлено и из куска синего картона. Остров – это большая лепешка красного, зеленого, желтого, коричневого или любого другого подходящего цвета, расположенная в центре моря.

ПИРАМИДА. Можно сделать пирамиду из черепах. Для этого ножки каждой черепахи должны быть прикреплены к туловищу стержнями-зубочистками – это придаст пирамиде устойчивость. Вылепите черепахе ножки и поставьте их на желаемую поверхность. Разломите деревянные зубочистки так, чтобы они оказались длиннее ножек. Воткните зубочистки в ножки черепахи сверху вниз так, чтобы они прошли посередине, а снаружи каждой ножки выглядывал кончик зубочистки. Насадите панцирь с головкой на острия зубочисток, торчащие из ножек черепахи.

1 ГОЛОВА И УШКИ

а. Скатайте шесть маленьких шариков – два розовых, два белых и два голубых. Скатайте еще два голубых, один красный шарик размером с маленькую горошину и один белый шарик намного крупнее.

б. Скрепите шесть маленьких шариков друг с другом (хохолок). Два голубых шарика побольше раскатайте в валики. Из белого шарика сформируйте толстый продолговатый валик (голова). Красному шарику тоже придайте форму валика.

в. Прикрепите хохолок к голове овечки. Расплющите два голубых валика в веретенообразные лепешки (ушки), а красный валик – в маленькую лепешку (язычок). Серной головкой спички проделайте в нижней части мордочки две дырочки (ноздри). Краем полоски картона под ноздрями прорежьте глубокую бороздку (рот).

г. Прикрепите ушки на затылке и вложите язычок в рот овечки.

1а

2 ГЛАЗА

а. Скатайте два маленьких розовых шарика, два белых шарика немного крупнее (глаза) и две крохотные черные бусинки (зрачки).

б. Два розовых шарика раскатайте в два маленьких веретенообразных валика.

в. Расплющите розовые валики в маленькие веретенообразные лепешки (веки), а к середине каждого глаза прилепите крохотный черный зрачок.

г. Сверху по краям глаз наклейте розовые веки.

д. Прикрепите глаза к мордочке овечки.

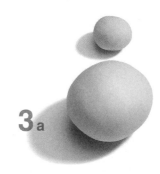

2а

3 ТУЛОВИЩЕ

а. Скатайте два белых шарика такого же размера, как на рисунке.

б. Из маленького шарика скатайте короткий валик (шея), а из большего шарика – большой толстый валик (туловище).

в. Возьмите половинку зубочистки и нанижите на нее маленький валик. Соедините шею и туловище овечки, как показано на рисунке. Кончик зубочистки должен остаться снаружи.

г. Насадите голову овечки на кончик зубочистки, торчащий из шеи.

3а

4 НОЖКИ

а. Скатайте четыре голубых шарика размером с большую горошину и четыре маленьких синих шарика.

б. Из голубых шариков скатайте четыре длинных валика (ножки). Синие шарики раскатайте в веретенообразные валики с немного заостренными концами (копытца).

в. Согните все ножки и копытца, как показано на рисунке.

г. Прикрепите ножки к туловищу овечки. Прилепите к ножкам копытца.

4а

5 ШЕРСТЬ

а. Скатайте большое количество маленьких шариков: розовых, белых и голубых.

б. Покройте все туловище овечки разноцветными шариками.

5а

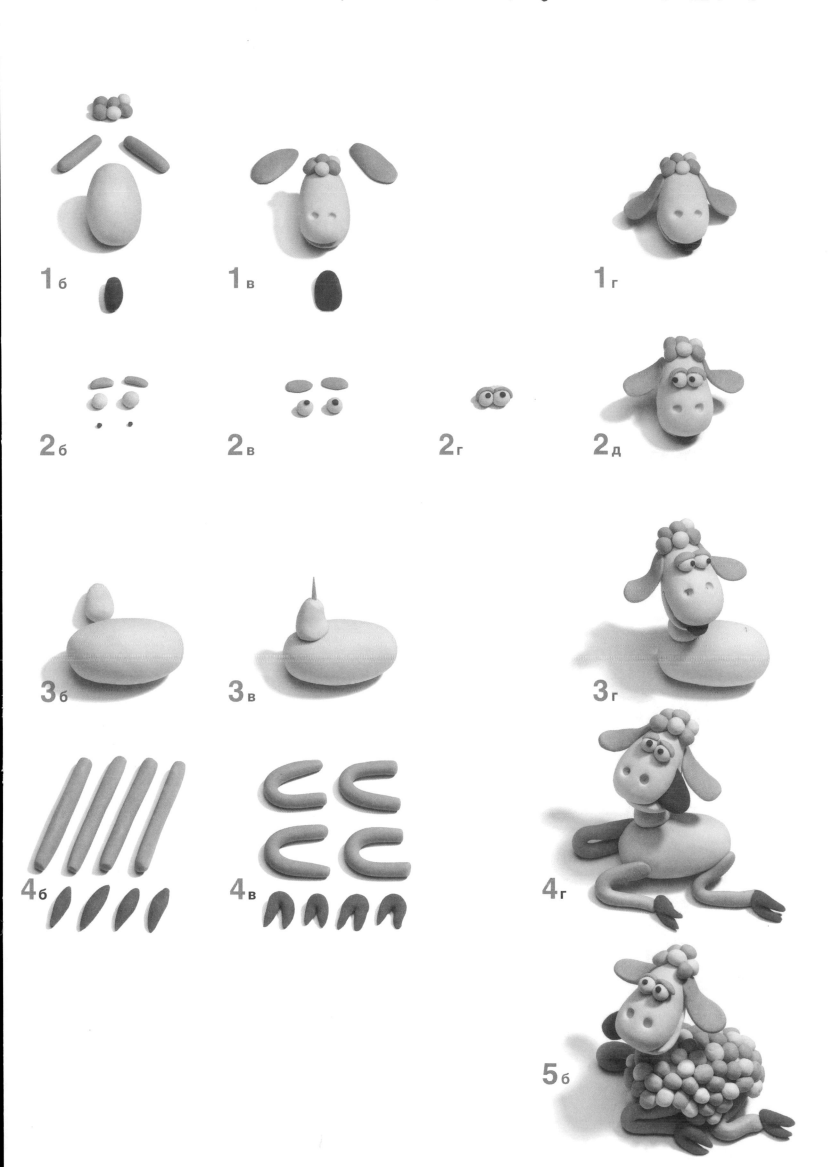

1б **1**в **1**г

2б **2**в **2**г **2**д

3б **3**в **3**г

4б **4**в **4**г

5б

СЕКРЕТЫ ПЛАСТИЛИНА

ЦВЕТА. Мордочка и ноги овечки могут быть белыми, розовыми, желтыми, голубыми и даже черными. Ушки овечки должны отличаться по цвету от мордочки. Цвет шерсти можно сделать однотонным или пестрым.

КЛУБОК ШЕРСТИ. Скатайте шарик желаемого цвета. Краем полоски картона проделайте на нем тонкие бороздки в разных направлениях. Из пластилина того же цвета, что и клубок шерсти, скатайте очень тонкий и длинный валик. Его толщина по всей длине должна быть одинаковой. Прикрепите один конец длинного валика к нижней части клубка шерсти.

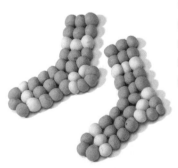

СВИТЕР И НОСКИ. Нарисуйте на бумаге желаемую форму носков, свитера или шапки. Скатайте большое количество маленьких шариков. Скрепите шарики один с другим прямо на бумаге в рамках рисунка. Слепите полоски из разноцветных шариков между собой и осторожно снимите полученную конструкцию с бумаги.

СОСКА. Скатайте шарик желаемого цвета и расплющите его в маленькую круглую лепешку. Шарик другого цвета раскатайте в маленький валик и согните его колечком. Прикрепите место соединения кончиков валика к лепешке. Приложите полученную соску ко рту овечки.

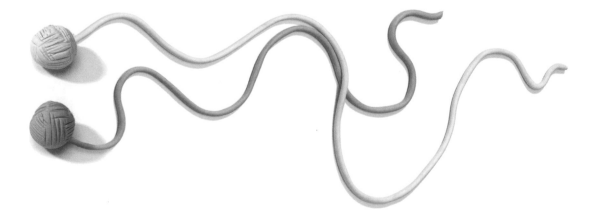

1 РОГА И ГОЛОВА

а. Скатайте один шарик золотистого цвета размером с горошину и один большой белый шарик.

б. Золотистый шарик раскатайте в веретенообразный валик (рога), а белому шарику придайте форму груши (голова).

в. Загните концы золотистого валика вверх. Серной головкой спички в нижней части головы проделайте две дырочки-ноздри.

г. Прикрепите рога к голове, как показано на рисунке.

1 а

2 УШИ И ЧЕЛКА

а. Скатайте три черных шарика размером с маленькую горошину.

б. Черные шарики раскатайте в три валика конусовидной формы.

в. Расплющите валики в конусовидные лепешки (две из них – уши).

г. Сделайте на одной лепешке два надреза и раздвиньте в разные стороны крайние «лепестки» (челка).

д. Прикрепите челку над рогами коровы. По бокам головы прилепите корове уши.

2 а

3 ГЛАЗА

а. Скатайте один лиловый шарик размером с маленькую горошину, два маленьких белых шарика (глаза) и две крохотные черные бусинки (зрачки).

б. Лиловый шарик раскатайте в маленький толстый валик.

в. Расплющите лиловый валик в небольшую овальную лепешку (основание глаз).

г. Прилепите глаза к лиловому основанию, а в центре к каждому глазу прикрепите крохотный черный зрачок.

д. Прилепите лиловое основание с глазами к мордочке коровы под челкой.

3 а

4 ТУЛОВИЩЕ

4 а

а. Скатайте три маленьких черных шарика и один большой белый шарик.

б. Расплющите черные шарики в маленькие круглые лепешки (пятнышки). Белый шарик скатайте в валик и придайте ему форму груши (туловище).

в. Прикрепите пятнышки к туловищу коровы. Разломите одну зубочистку пополам и вставьте две ее половинки в верхний конец «груши».

г. Насадите голову коровы на зубочистки и прикрепите ее к туловищу.

5 КОНЕЧНОСТИ

а. Скатайте четыре белых шарика размером с большую горошину и четыре черных шарика размером поменьше.

б. Белые шарики раскатайте в четыре длинных валика (конечности). Черные шарики сформируйте в четыре коротких валика (копыта).

в. Согните все валики так, как показано на рисунке.

г. Прикрепите две верхние конечности по бокам туловища под головой, а две нижние конечности с обеих сторон задней части туловища. Прилепите к ним черные копытца.

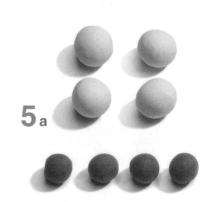

5 а

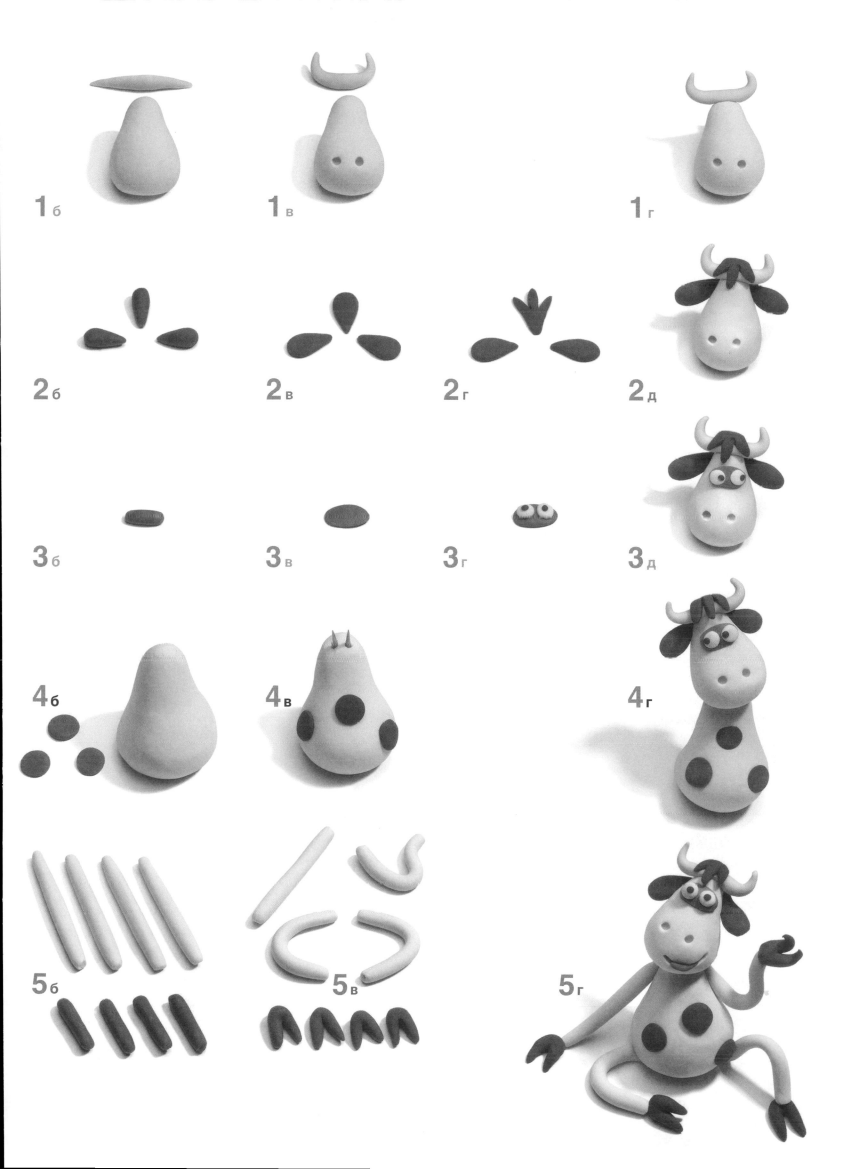

1б 1в 1г

2б 2в 2г 2д

3б 3в 3г 3д

4б 4в 4г

5б 5в 5г

СЕКРЕТЫ ПЛАСТИЛИНА

ЦВЕТА. Корова может быть белой с черными пятнышками, черной с белыми пятнышками, коричневой, рыжей и т. д. Все зависит от вашей фантазии!

КОРОВА НА НОЖКАХ. Для изготовления ножек коровы вам понадобятся зубочистки. Они придадут устойчивость насаженному на них туловищу. Заверните зубочистки в лепешки из пластилина выбранного для ног коровы цвета. Раскатайте подготовленные детали на рабочей поверхности. Толщина полученного валика (ноги) должна быть одинаковой по всей его длине.

ГОЛОВКА ЖЕЛТОГО СЫРА. Домашний сыр выглядит очень аппетитно. Попробуйте сделать пластилин такого же цвета. Смешайте желтый и белый пластилин. Из этого пластилина скатайте шарик. Расплющите его в толстую круглую лепешку. У вас получилась головка желтого сыра. Сыр будет похож на настоящий, если вы сделаете в нем дырки. Отрежьте кусочек сыра и серной головкой спички проделайте в нем нужные отверстия.

ВЕДЕРКО МОЛОКА. Вам понадобится серый пластилин. Для этого смешайте белый пластилин с небольшим количеством черного. Раскатайте скалкой брусок серого пластилина в тонкий пласт. С помощью пластикового ножика попробуйте вырезать четырехугольник в форме трапеции. Верхняя часть его должна быть шире, чем нижняя. Сложите вместе его две боковые стороны так, чтобы образовалось полое ведерко без донышка. Поставьте подготовленное ведерко на пласт тонкого серого пластилина и пластиковым ножиком по форме донышка вырежьте круг. Прикрепите донышко к ведерку. Скатайте длинный тонкий валик из серого пластилина и согните его полукругом (ручка). Прикрепите концы валика к верхней части ведерка. Скатайте белый шарик соответствующего размера (молоко) и осторожно положите его в ведерко.

49

1 ТУЛОВИЩЕ И ГОЛОВА

а. Скатайте один большой лиловый шарик и один маленький белый шарик.

б. Лиловый шарик раскатайте в конусовидный валик с немного заостренным концом. Из оставшегося белого шарика скатайте обычный валик.

в. Расплющите белый валик в конусовидную лепешку (животик).

г. Прикрепите белую лепешку к широкой части лилового валика (животик и туловище).

д. Слегка изогните острый конец лилового валика (голова).

1 а

2 ГЛАЗА И КЛЮВ

а. Скатайте два маленьких белых шарика, две крохотные черные бусинки и еще один маленький оранжевый шарик.

б. Сплющите два белых шарика в маленькие круглые лепешки (глаза). Скатайте из оранжевого шарика маленький веретенообразный валик с острым концом (клюв).

в. Прилепите глазки к голове пингвина. К середине каждого глаза прикрепите крохотный черный зрачок. К острому концу головы пингвинчика прилепите клюв.

2 а

3 КРЫЛЬЯ И ЛАПКИ

а. Скатайте два лиловых шарика и два оранжевых шарика размером поменьше.

б. Лиловые шарики раскатайте в толстые валики таким образом, чтобы один их конец получился широким, а другой – узким. Из оранжевых шариков скатайте маленькие плотные валики. Один их конец должен быть немного шире.

в. Расплющите лиловые валики в продолговатые лепешки. Один их конец должен получиться широким, а другой – узким (крылья). Оранжевые валики расплющите в маленькие лепешки конусовидной формы (лапки).

3 а

г. Прикрепите крылья к туловищу пингвинчика. Поставьте пингвинчика на лапки так, как показано на рисунке.

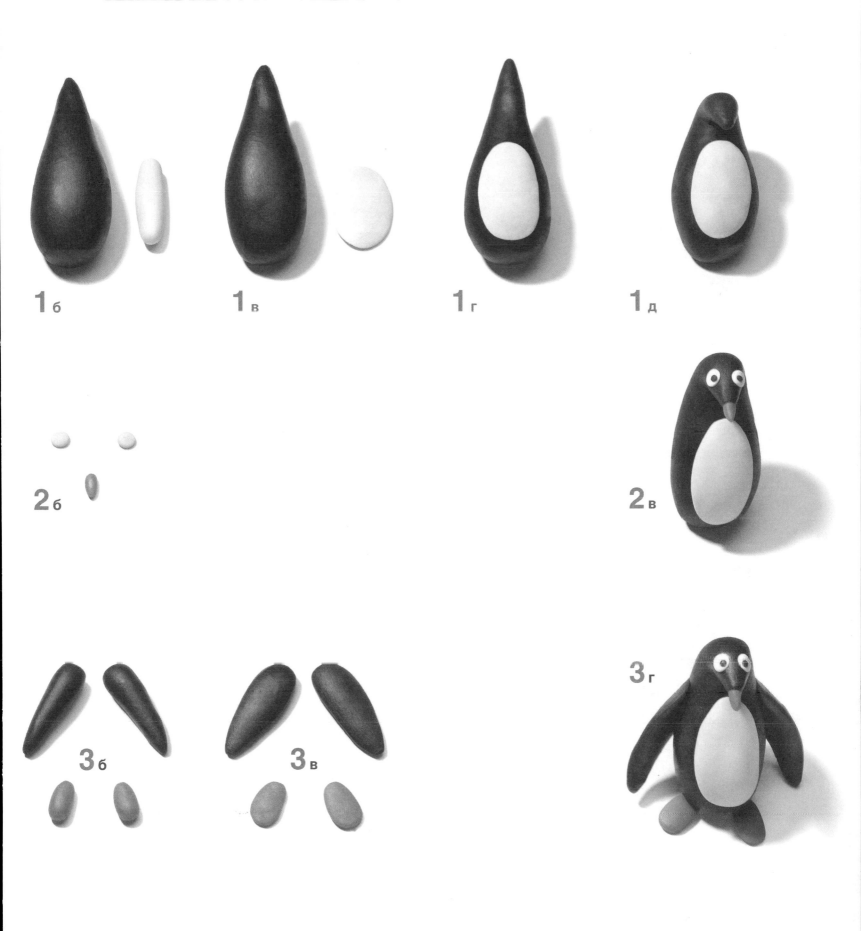

1б

1в

1г

1д

2б

2в

3б

3в

3г

СЕКРЕТЫ ПЛАСТИЛИНА

ЛЬДИНА. Раскатайте скалкой брусок белого пластилина в пласт. Положите на него три куска пластилина разной величины и большим пальцем придавите их к пласту и друг к другу.

ПТЕНЦЫ ПИНГВИНА. Чтобы вылепить маленьких пингвинчиков, вам понадобится серый пластилин. Его вы можете сделать, смешав белый пластилин с небольшим количеством черного. Скатайте из пластилина серый шарик. Полученный шарик раскатайте в валик и придайте ему форму яйца. Слегка сплющите пингвинчику верхнюю часть туловища, чтобы потом на него можно было насадить головку. Лапки птенца сделайте из двух маленьких черных валиков. Крылышки птенца слепите из двух маленьких серых веретенообразных валиков. К черному шарику (головке) прикрепите две круглые, тонкие белые лепешки. К каждой из них прилепите маленькую черную лепешку, в середине которой уже есть маленькая белая лепешка размером поменьше. К центру каждого глаза нужно прикрепить крохотную черную бусинку (зрачок). Скатайте небольшой черный валик с немного заостренным концом и сделайте из него пингвинчику клювик.

КРАБ. Из небольшой круглой и толстой оранжевой лепешки сделайте туловище краба. Приготовьте пластилин светло-оранжевого цвета: смешайте желтый пластилин с небольшим количеством оранжевого. Из полученного пластилина скатайте восемь небольших валиков с одним зауженным концом. Придайте им полукруглую форму (лапки). Прикрепите лапки по бокам к туловищу краба, как показано на рисунке. Скатайте два небольших валика с немного заостренными концами. Согните их пополам (клешни). Прикрепите клешни к туловищу краба с помощью двух одинаковых по размеру валиков. Чтобы сделать крабу глаза, нужно скатать два маленьких лиловых шарика и сплющить их в лепешки. Прикрепите лепешки к туловищу краба и на них прилепите две белые лепешки размером поменьше. К центру каждого глаза прикрепите крохотную черную бусинку (зрачок).

1 ТУЛОВИЩЕ И ГОЛОВА

а. Скатайте большой светло-лиловый шарик.

б. Полученный шарик раскатайте в веретенообразный валик с немного заостренными концами.

в. Расплющите остроконечный валик в толстую веретенообразную лепешку.

г. Отогните кверху половину лепешки. Ее верхнюю часть согните вниз (туловище и голова).

1а

2 ГЛАЗА И БРОВИ

а. Скатайте два маленьких темно-лиловых шарика, два белых шарика размером побольше (глаза) и две крохотные черные бусинки (зрачки). Еще вам понадобятся черный шарик (нос) и два розовых шарика (щечки).

б. Из темно-лиловых шариков скатайте два маленьких валика (брови). Скрепите розовые щечки таким образом, чтобы они соприкасались друг с другом. Сверху к ним прикрепите нос.

в. Прилепите нос с щечками к мордочке тюленя. Легким нажимом пальца прикрепите к голове глаза. В центре каждого глаза сделайте тюленю зрачки. Над глазами прилепите ему темно-лиловые брови.

2а

3 КОНЕЧНОСТИ

а. Скатайте два светло-лиловых шарика и еще два шарика такого же цвета размером побольше.

б. Все шарики раскатайте в конусовидные валики.

в. Расплющите валики в конусовидные лепешки (конечности).

г. Согните большие лепешки так, как показано на рисунке, и прикрепите их с обеих сторон передней части туловища тюленя (передние лапки). Маленькие лепешки (задние лапки) прикрепите к задней части туловища зверька. Краем полоски картона или пластиковым ножиком сделайте на лапках тюленя по две небольшие насечки (перепонки).

3а

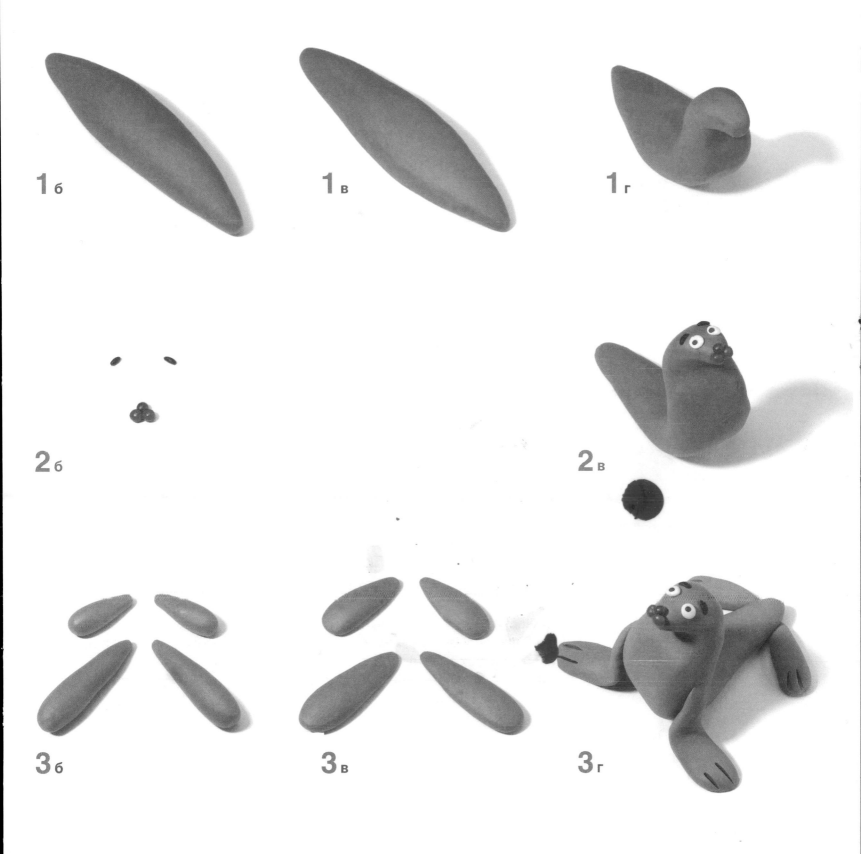

1б

1в

1г

2б

2в

3б

3в

3г

55

СЕКРЕТЫ ПЛАСТИЛИНА

ЛЬДИНА С ПРОРУБЬЮ. Раскатайте скалкой большой брусок белого пластилина в пласт (льдина). Стаканом или пластиковой крышкой аккуратно продавите в нем круг нужного размера. Осторожно поворачивайте стакан, пока вырезанный кружок пластилина не отделится от пласта. Вы отлично справились с этим заданием!

МОРЖ. Вам понадобится пластилин серого цвета. Вы всегда его можете сделать сами, смешав белый пластилин с небольшим количеством черного. Скатайте из серого пластилина один крупный шарик. Раскатайте полученный шарик в толстый валик с немного зауженными концами (туловище). Сформируйте моржу шею и мордочку. Положите туловище на рабочую поверхность. Отогните сначала один его конец кверху, а затем вниз таким образом, чтобы голова моржа была расположена параллельно рабочей поверхности. Разгладьте тыльной стороной ладони головку моржа, чтобы на ней не было видно следов пальцев. Краем полоски картона или пластиковым ножиком внизу головы прорежьте бороздку (рот). От середины верхней губы сделайте вверх еще один небольшой надрез. Скатайте маленький черный шарик (нос) и прилепите его к острой части мордочки. Скатайте два маленьких белых шарика и сделайте моржу глазки. К ним прилепите две крохотные черные бусинки (зрачки). Скатайте два белых шарика. Раскатайте их в конусовидные валики с немного заостренным концом (клыки). Придайте клыкам правильную форму и прикрепите их к мордочке моржа. Скатайте два серых шарика и еще два шарика такого же цвета размером побольше. Вылепите из них моржу лапки, как описано в инструкции на с. 54.

1 ГОЛОВА И УШИ

а. Скатайте два небольших белых шарика и один крупный голубой шарик.

б. Раскатайте белые шарики в валики и придайте им форму яйца. Расплющите голубой шарик в круглую толстую лепешку (голова).

в. Расплющите белые валики в лепешки (ушки).

г. Прилепите ушки к голове коалы.

1а

2 НОС И ПОДБОРОДОК

а. Скатайте один лиловый шарик и еще один белый шарик размером поменьше.

б. Раскатайте лиловый шарик в толстый валик.

в. Расплющите лиловый валик в лепешку таким образом, чтобы один ее конец был немного уже (нос).

г. Прилепите нос к голове коалы так, как показано на рисунке. Под ним прикрепите белый шарик (подбородок).

2а

3 ГЛАЗА

а. Скатайте два маленьких синих шарика, два белых шарика размером побольше (глаза) и две крохотные черные бусинки (зрачки).

б. Синие шарики раскатайте в два маленьких валика (брови). К середине каждого глаза прикрепите крохотный черный зрачок.

в. По обе стороны от носа прилепите глазки. Над ними прикрепите брови.

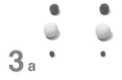

3а

4 ТУЛОВИЩЕ

а. Скатайте один большой голубой шарик.

б. Раскатайте шарик в толстый валик и придайте ему форму яйца (туловище).

в. В верхнюю часть туловища воткните половинку зубочистки.

г. На острие зубочистки насадите голову зверька и прикрепите ее к туловищу.

4а

5 ЛАПКИ

а. Скатайте шесть голубых шариков – четыре из них должны быть одинакового размера, а два шарика – поменьше.

б. Раскатайте два более крупных шарика в веретенообразные валики (передние лапки). Расплющите два оставшихся более крупных шарика в круглые толстые лепешки. Маленькие шарики раскатайте в толстые валики.

в. Согните передние лапки полукругом. Прикрепите круглые толстые лепешки к толстым валикам так, как показано на рисунке (задние лапки).

г. Правильно прикрепите передние лапки к туловищу зверька. Они должны быть вверху. Прилепите коале задние лапки. Они должны находиться по бокам туловища. Краем полоски картона или пластиковым ножиком сделайте по две небольшие насечки на конце каждой лапки («пальчики»).

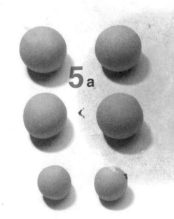

5а

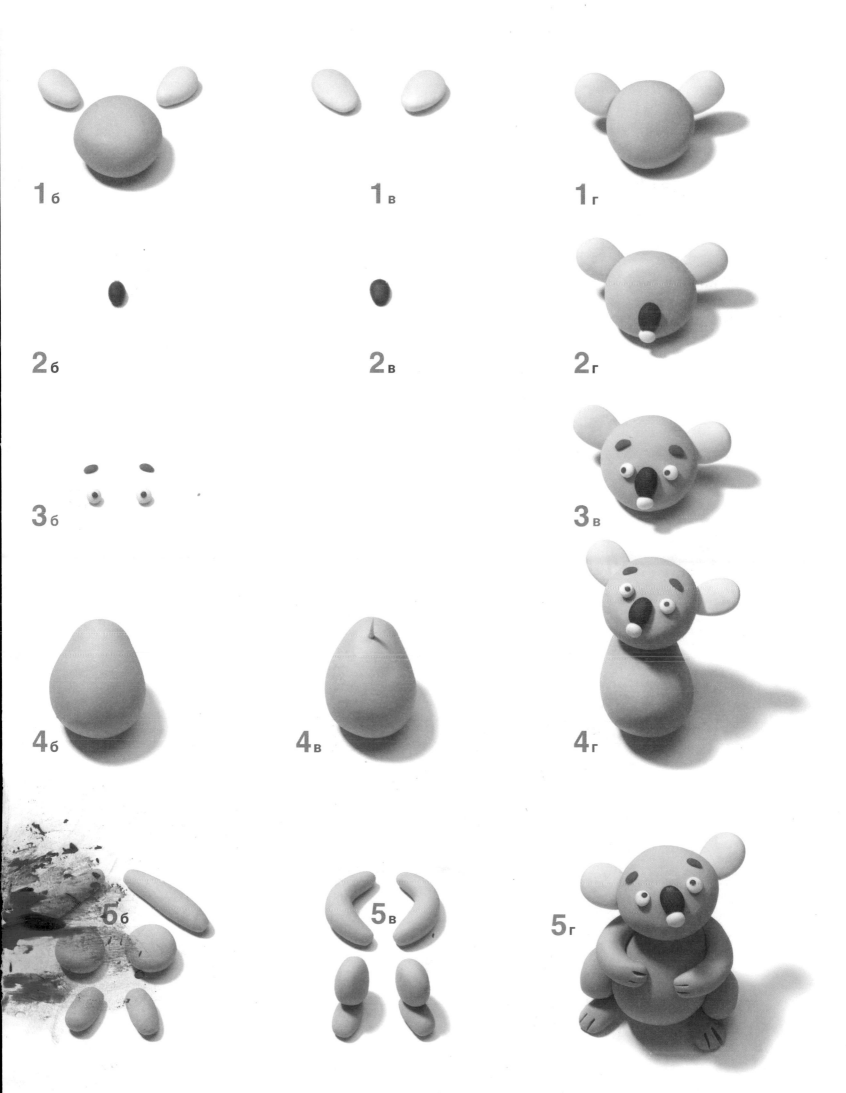

1б

1в

1г

2б

2в

2г

3б

3в

4б

4в

4г

5б

5в

5г

59

СЕКРЕТЫ ПЛАСТИЛИНА

ЭВКАЛИПТ. Для того чтобы дерево выдержало вес зверюшек, его лучше сделать из настоящей ветки. Найдите подходящую ветку, сорвите с нее листья и удалите ненужные веточки. Раскатайте пластилин выбранного вами цвета в тонкие полоски. Разрежьте пластиковым ножиком полоски до нужного размера. Они должны обернуть ветку и соединиться с обратной ее стороны. Заверните ветку в полоски пластилина. Скрепите концы полосок с обратной стороны так, чтобы их не было видно спереди. Расплющите лепешки светло-зеленого или лилово-коричневого цвета и прикрепите их к дереву. Дерево нужно поставить на «землю». Подберите для нее подходящий цвет. Раскатайте пластилин в пласт (земля) и слегка прижмите к нему дерево. Желательно подпереть дерево с обратной стороны куском пластилина, чтобы сохранить равновесие.

ВЕТОЧКА. Раскатайте зеленый валик таким образом, чтобы один его конец был немного уже, а другой – шире (веточка). Из пластилина разных оттенков зеленого цвета раскатайте остроконечные валики (листики). Для того чтобы получить пластилин темно-зеленого цвета, следует смешать зеленый пластилин с небольшим количеством синего. Для того чтобы получить пластилин светло-зеленого цвета, нужно смешать зеленый пластилин с желтым. Краем полоски картона или пластиковым ножиком сделайте вдоль каждого листика насечку. Прикрепите листики к веточке, а веточку – к дереву. Следует заметить, что не каждый сорт пластилина подходит для этой композиции, и нет уверенности в том, что веточки не согнутся и не упадут. Для большей прочности можно выполнить веточки из фимо (полимерной глины).

1 ГОЛОВА И УШИ

а. Скатайте два маленьких лиловых шарика и два красных крупных шарика.

б. Раскатайте лиловые шарики в два маленьких валика конусовидной формы (ушки). Раскатайте один красный шарик в толстый валик, а из второго красного шарика сделайте толстый валик покороче.

в. Серной головкой спички прорежьте дырочку в широкой части каждого ушка. Расплющите красные валики в толстые лепешки.

г. Прилепите лепешку размером поменьше к нижней части более длинной лепешки.

д. Прикрепите лиловые ушки к голове гиппопотама. Серной головкой спички прорежьте ему ноздри.

1 а

2 ГЛАЗА И ЗУБЫ

а. Скатайте два лиловых шарика, два белых шарика размером побольше (глаза), две крохотные черные бусинки (зрачки) и еще два маленьких белых шарика (зубы).

б. Раскатайте лиловые шарики в два маленьких веретенообразных валика (веки). К середине каждого глаза прикрепите крохотный черный зрачок.

в. Сформируйте гиппопотаму мордочку. Правильно прикрепите ему глазки. Сверху на глазки прилепите веки. У зверька должны быть видны два зубика. Сделайте их из двух оставшихся белых шариков.

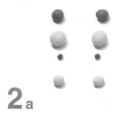

2 а

3 ТУЛОВИЩЕ И ШЕЯ

а. Скатайте маленький красный шарик (шея) и красный шарик размером намного крупнее (туловище).

б. Положите на большой шарик маленький шарик и скрепите их с помощью зубочистки. Кончик зубочистки должен оставаться снаружи.

в. Насадите голову гиппопотама на кончик зубочистки и прикрепите ее к шее.

3 а

4 НОГИ И ХВОСТИК

а. Скатайте четыре красных шарика, шесть маленьких лиловых шариков (когти) и один лиловый шарик размером побольше.

б. Раскатайте красные шарики в толстые валики (ноги). Один их конец должен быть уже, чем другой. Из лилового шарика скатайте валик с одним зауженным концом.

в. Придайте ножкам правильную форму – на более широкую их часть надавите большим пальцем, подготовьте место для когтей. Согните лиловый валик так, как показано на рисунке (хвостик). Прикрепите хвостик сзади к туловищу.

г. Воткните в верхнюю часть каждой ноги половинку зубочистки. К передним ножкам гиппопотама прилепите когти.

д. На острия зубочисток аккуратно насадите туловище зверька.

4 а

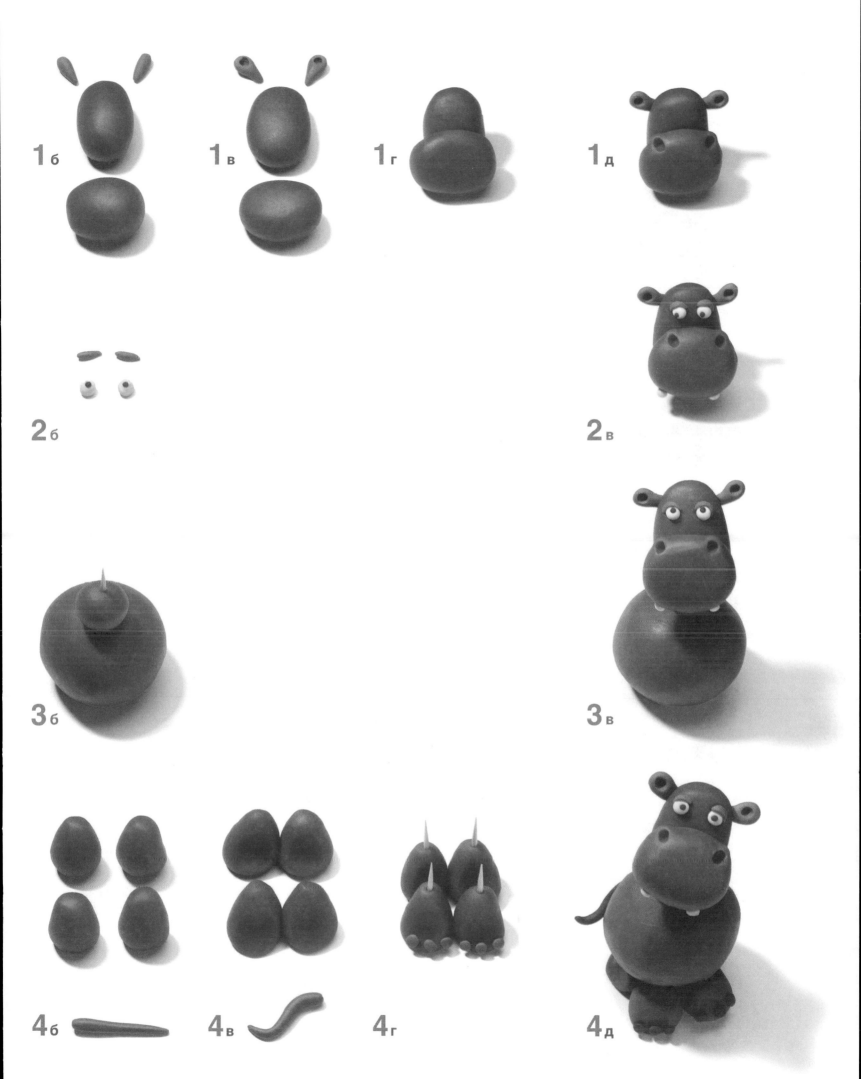

1б

1в

1г

1д

2б

2в

3б

3в

4б

4в

4г

4д

СЕКРЕТЫ ПЛАСТИЛИНА

ГИППОПОТАМ В ОЗЕРЕ. Положите полностью слепленную голову гиппопотама на рабочую поверхность и разрежьте ее в нужном месте (под ноздрями). Прикрепите срезанную часть к поверхности воды (голубой пластилин, раскатанный скалкой в гладкий и тонкий пласт). Скатайте один шарик из пластилина такого же цвета, что и голова гиппопотама. Пластиковым ножиком срежьте верхнюю часть шарика (животик) и прикрепите к поверхности воды чуть ниже головы. Серной головкой спички проделайте в нем дырочку (пупок). Вылепите передние лапки гиппопотама с коготками. Отрежьте от них нужную вам часть и прикрепите к поверхности воды чуть ниже пупка.

ЦАПЛЯ. Вылепить цаплю не так-то просто. Возможно, вам придется сделать это несколько раз, пока вы не добьетесь желаемого результата. Скатайте один крупный белый шарик. Раскатайте шарик в толстый валик и положите его поперек ладони. Ребром второй ладони проведите по центру валика, нажимая на пластилин (но не разрезая его), пока не образуется шея с маленьким утолщением с одного конца (голова) и большим утолщением с другого (туловище). Придайте шее правильную форму – согните ее сначала вниз, затем вверх и снова вниз. Скатайте длинный желтый валик с одним острым концом (клюв). Прилепите клюв в нужное место. Из двух маленьких круглых желтых лепешек сделайте цапле глаза. К середине каждого глаза прилепите крохотный черный зрачок. Прикрепите глаза с обеих сторон головы. Над каждым глазом приклейте маленький оранжевый валик (брови). Крылья и хвостик цапли сделайте из трех белых валиков и скрепите их друг с другом с одного края. Из трех черных валиков слепите цапле лапки. Скатайте два длинных тонких черных валика (ножки) с небольшим утолщением посередине (коленки). Цаплю можно поставить на ножки только в том случае, если они сделаны из фимо (полимерной глины) или в каждой из них скрывается зубочистка (тогда ноги будут прямыми).

1 ГОЛОВА И УШИ

а. Скатайте два маленьких голубых шарика и один большой синий шарик (голова).

б. Серной головкой спички прорежьте дырочку в каждом из голубых шариков (ушки).

в. Прилепите ушки к голове так, как показано на рисунке.

1а

2 НОС

а. Скатайте один голубой шарик размером с мелкую горошину и один серый шарик поменьше.

б. Расплющите голубой шарик в толстую круглую лепешку.

в. Прилепите серый шарик к центру голубой лепешки (нос).

г. Правильно прикрепите нос к голове медведя. Сделайте это так, как показано на рисунке.

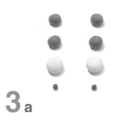

2а

3 ГЛАЗА И БРОВИ

а. Скатайте два маленьких лиловых шарика, два лиловых шарика немного побольше, два белых шарика (глаза) и две крохотные черные бусинки (зрачки).

б. Из двух маленьких лиловых шариков скатайте два толстеньких валика (брови). Из двух лиловых шариков, которые побольше, скатайте валики (веки) и придайте им дугообразную форму. К середине каждого глаза прикрепите крохотный черный зрачок.

в. Прилепите глаза к голове мишки. Сверху по краям глаз наклейте веки. Над глазами прикрепите брови.

3а

4 ТУЛОВИЩЕ И БЕЛАЯ ГРУДКА

а. Скатайте один большой синий шарик и еще один белый шарик размером с крупную горошину.

б. Раскатайте синий шарик в толстый валик и придайте ему форму яйца (туловище). Раскатайте белый шарик в конусовидный валик.

в. Расплющите белый валик в конусовидную лепешку (грудка).

г. Прикрепите белую грудку к синему туловищу мишки. В верхний конец туловища воткните половинку зубочистки.

д. Насадите голову мишки на зубочистку и прикрепите ее к туловищу.

4а

5 ЛАПЫ

а. Скатайте четыре крупных синих шарика, шесть маленьких голубых шариков и два голубых шарика размером побольше.

б. Раскатайте четыре крупных синих шарика в длинные валики (лапки). Один их конец должен быть уже, чем другой.

в. Аккуратно сплющите широкие концы лапок и отогните их вверх (ступни).

г. Прикрепите лапы к туловищу медведя так, как показано на рисунке. Сплющите голубые шарики в лепешки и прикрепите их к ступням мишки. На каждой ступне должно быть три маленьких и одна большая подушечки.

5а

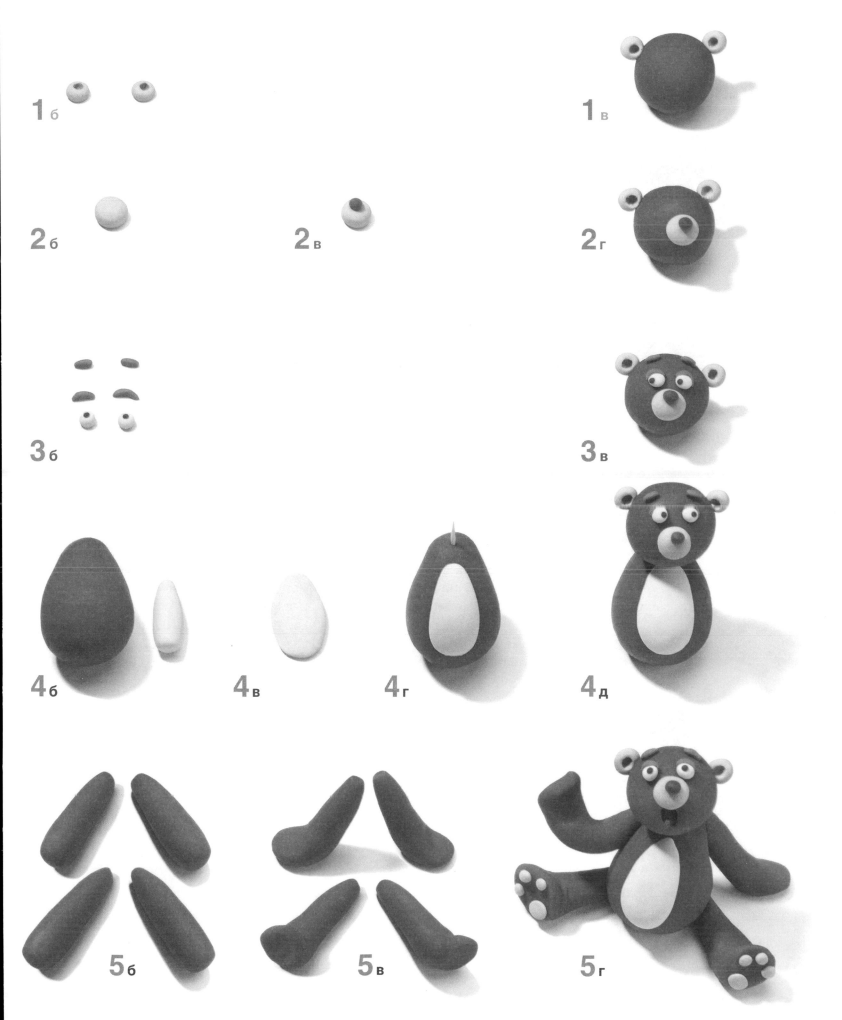

1 б

2 б

2 в

3 б

4 б

4 в

4 г

5 б

5 в

1 в

2 г

3 в

4 д

5 г

67

СЕКРЕТЫ ПЛАСТИЛИНА

АЛЕНЬКИЙ ЦВЕТОЧЕК. Скатайте четыре зеленых шарика. Раскатайте их в маленькие валики и расплющите в толстенькие продолговатые лепешки (листья). Скрепите листики один к другому и отогните их в стороны так, чтобы образовался зеленый венчик. Краем полоски картона или пластиковым ножиком сделайте насечку вдоль каждого листика (прожилки). Скатайте еще четыре маленьких красных шарика. Раскатайте их в валики конусовидной формы. Расплющите валики в конусовидные лепешки (лепестки). Скрепите лепестки один к другому с более широкого конца и отогните их в стороны так, чтобы образовался красный венчик. Прилепите красный венчик поверх зеленого так, чтобы красные лепестки были между двумя зелеными листиками. Скатайте четыре желтые бусинки и прикрепите их в середине красного венчика (тычинки).

ГИАЦИНТ. Скатайте маленький зеленый шарик. Из зеленого шарика сформируйте остроконечный валик (стебель). Осторожно воткните в него половинку зубочистки. Скатайте примерно десять синих шариков. (Синий цвет можно заменить любым другим цветом, кроме белого.) Покройте одну треть высоты стебля синими шариками в два ряда. Шарики должны быть расположены один над другим (соцветие). Смешайте половину количества синего пластилина, которое вам понадобилось, чтобы слепить синие шарики, с таким же количеством белого пластилина. Скатайте из получившегося пластилина пять шариков такого же размера и прикрепите их к стеблю над синим рядом. Смешайте оставшийся пластилин с таким же количеством белого пластилина. Скатайте шарики меньшего размера и прилепите их к стеблю. Смешайте оставшийся пластилин с таким же количеством белого пластилина и… делайте это до тех пор, пока не покроется весь стебель. У вас получится переливающаяся гамма синего цвета.

1 ГОЛОВА И ГРИВА

а. Скатайте примерно шестнадцать оранжевых шариков разного размера и один крупный желтый шарик.

б. Раскатайте желтый шарик в толстый валик и придайте ему форму перевернутого яйца (голова).

в. Прикрепите к голове льва оранжевые шарики так, как показано на рисунке (грива).

1а

2 НОС, ЩЕЧКИ И ПОДБОРОДОК

а. Скатайте маленький серый шарик, два оранжевых шарика побольше (щечки) и один желтый шарик размером немного крупнее.

б. Из серого и желтого шариков сформируйте толстенькие валики (нос и подбородок).

в. Скрепите вместе оранжевые щечки. Сверху прилепите к ним нос, а снизу – подбородок.

г. Правильно прикрепите щечки, нос и подбородок к голове льва.

2а

3 ГЛАЗА

а. Скатайте четыре маленьких лиловых шарика, два белых шарика размером побольше (глаза) и две крохотные черные бусинки (зрачки).

б. Два лиловых шарика раскатайте в толстенькие маленькие валики (брови). Из двух лиловых шариков, которые у вас остались, скатайте веретенообразные валики и согните их дугой (веки). К середине каждого глаза прикрепите крохотный черный зрачок.

в. Прилепите глаза к голове льва. Сверху по краям глаз наклейте веки. Правильно прикрепите брови.

3а

4 ТУЛОВИЩЕ

а. Скатайте один большой и один маленький шарик (шея).

б. Большой желтый шарик раскатайте в толстый веретенообразный валик (туловище).

4а

в. Положите маленький шарик на большой валик так, как показано на рисунке. Соедините их с помощью зубочистки. Кончик зубочистки должен оставаться снаружи.

г. Насадите голову льва на кончик зубочистки и прикрепите ее к шее.

5 ЛАПЫ И ХВОСТ

а. Скатайте два крупных желтых шарика, два желтых шарика размером с крупную горошину, один желтый шарик размером поменьше и один маленький оранжевый шарик.

б. Два крупных желтых шарика раскатайте в длинные валики (задние лапы). Один их конец должен быть уже, чем другой. Из двух желтых шариков размером с крупную горошину сформируйте веретенообразные валики (передние лапы). Оставшийся желтый шарик раскатайте в тонкий валик с заостренным концом (хвост). Из оранжевого шарика сделайте валик в виде кисточки.

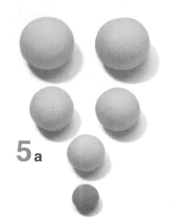

в. Сложите задние лапы в виде цифры 2. Слегка изогните передние лапы. Согните оставшийся желтый валик – придайте ему форму хвостика. Прилепите к нему оранжевую кисточку.

5а

г. Прикрепите передние лапы с обеих сторон туловища под головой, задние лапы – по бокам нижней части туловища. Сзади прилепите к туловищу хвостик. Краем полоски картона или пластиковым ножиком сделайте по две небольшие насечки на лапах льва («пальчики»).

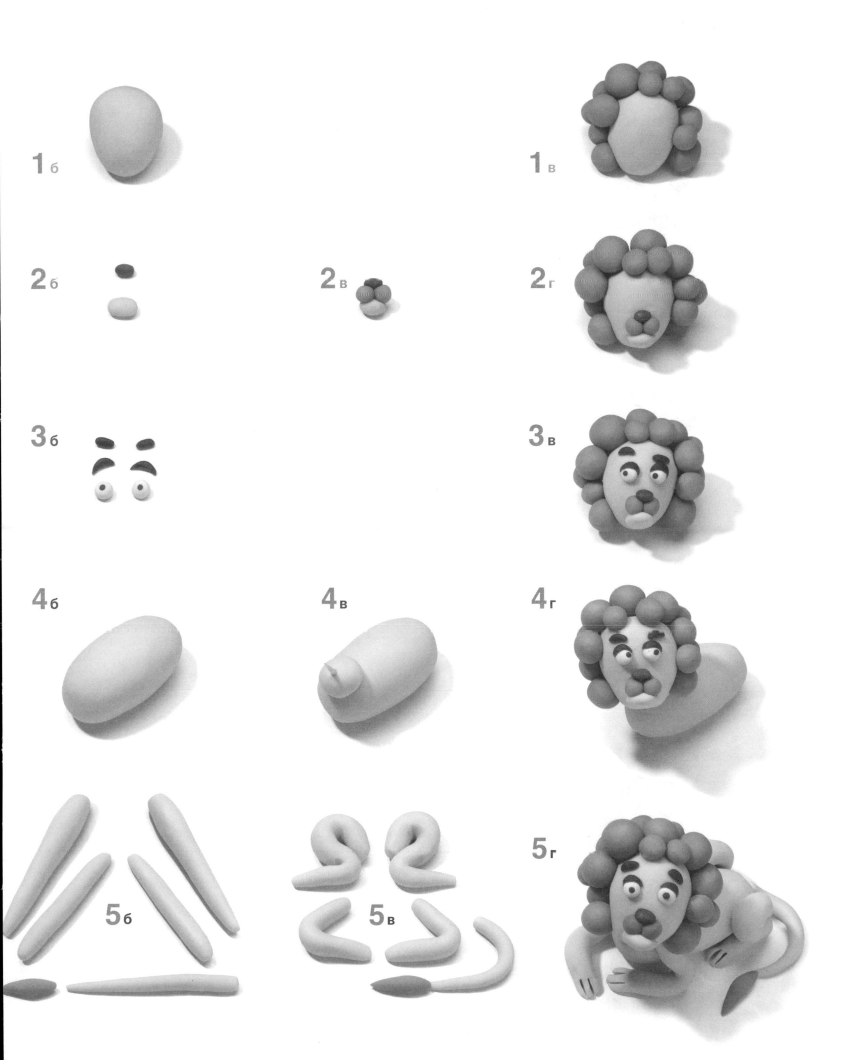

1б

2б

3б

4б

5б

2в

4в

5в

1в

2г

3в

4г

5г

СЕКРЕТЫ ПЛАСТИЛИНА

КУСОК МЯСА. Чтобы получить такой же цвет мяса, как на рисунке, нужно правильно смешать красный, розовый и белый пластилин. Если смешивать его дольше чем следует, пропадут полоски, создающие ощущение текстуры мяса. Скатайте толстый валик нужного цвета и расплющите его в толстую веретенообразную лепешку (кусок мяса). Несколько раз приложите к пластилину спичку, чтобы на поверхности «мяса» появились параллельные насечки. С одной стороны куска мяса прорежьте ряд ямочек, это можно сделать серной головкой спички. Скатайте четыре маленьких белых шарика. Сформируйте из них тонкие длинные валики (косточки). Придайте косточкам правильную форму и вставьте их в ямки на «мясе».

КОСТЬ. Скатайте маленький белый шарик. Сформируйте из него валик. Чтобы валик стал похож на косточку, раскатайте между пальцами его серединку. Слегка сплющите утолщенные концы косточки и приложите к ним зубочистку, чтобы нанести насечку и придать косточке правильную форму.

СПИННОЙ ХРЕБЕТ С РЕБРЫШКАМИ. Скатайте маленький белый шарик. Раскатайте его в длинный тонкий валик (спинной хребет). Скатайте еще шесть белых шариков (по размеру они должны быть в два раза меньше, чем предыдущий шарик). Раскатайте их в длинные тонкие валики с зауженным концом. Придайте валикам немного дугообразную форму (ребрышки). Прикрепите ребрышки парами вдоль спинного хребта – одно ребрышко должно быть напротив другого.

1 ГОЛОВА

а. Скатайте один серый шарик.

б. Раскатайте шарик в толстый валик и придайте ему форму перевернутого яйца (голова).

в. Краем полоски картона или пластиковым ножиком сделайте на голове носорога шесть поперечных насечек. Серной головкой спички внизу головы прорежьте две дырочки (ноздри).

1 а

2 УШИ И РОГ

а. Скатайте два маленьких лиловых шарика и еще один лиловый шарик размером побольше.

б. Два маленьких лиловых шарика раскатайте в конусовидные валики (уши). Из оставшегося шарика скатайте длинный валик с немного заостренным концом (рог).

в. Серной головкой спички в каждом ушке прорежьте ямочку. Правильно согните рог.

г. С обеих сторон головы носорога на затылке прикрепите ушки. В центре головы, чуть выше ноздрей, прилепите рог.

2 а

3 ГЛАЗА

а. Скатайте два маленьких лиловых шарика, два белых шарика размером поменьше (глаза) и две крохотные черные бусинки (зрачки).

б. Два маленьких лиловых шарика расплющите в толстенькие маленькие лепешки.

в. Прилепите лиловые лепешки к голове носорога так, как показано на рисунке. Прикрепите к ним глаза. К середине каждого глаза приклейте крохотный черный зрачок.

3 а

4 ТУЛОВИЩЕ

а. Скатайте большой серый шарик.

б. Раскатайте серый шарик в толстый валик (туловище).

в. В верхнюю часть туловища воткните две половинки зубочистки.

г. Насадите голову носорога на острия зубочистки и прикрепите ее к туловищу.

4 а

5 НОГИ И ХВОСТ

а. Скатайте четыре серых шарика, двенадцать маленьких лиловых шариков (когти), один лиловый шарик размером побольше и еще один серый шарик немного крупнее.

б. Раскатайте четыре серых шарика в валики с одним утолщенным концом (ноги). Раскатайте лиловый шарик в небольшой веретенообразный валик. Из серого шарика сформируйте конусовидный валик.

в. Слепите носорогу хвост – прикрепите лиловый валик к острому концу серого валика. Придайте ему нужную форму.

г. Прикрепите к туловищу носорога передние и задние ножки. Раздвиньте их так, как показано на рисунке. Прилепите к ножкам лиловые когти. Сзади прикрепите к туловищу хвостик.

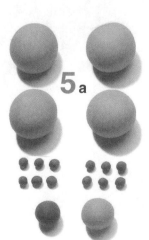

5 а

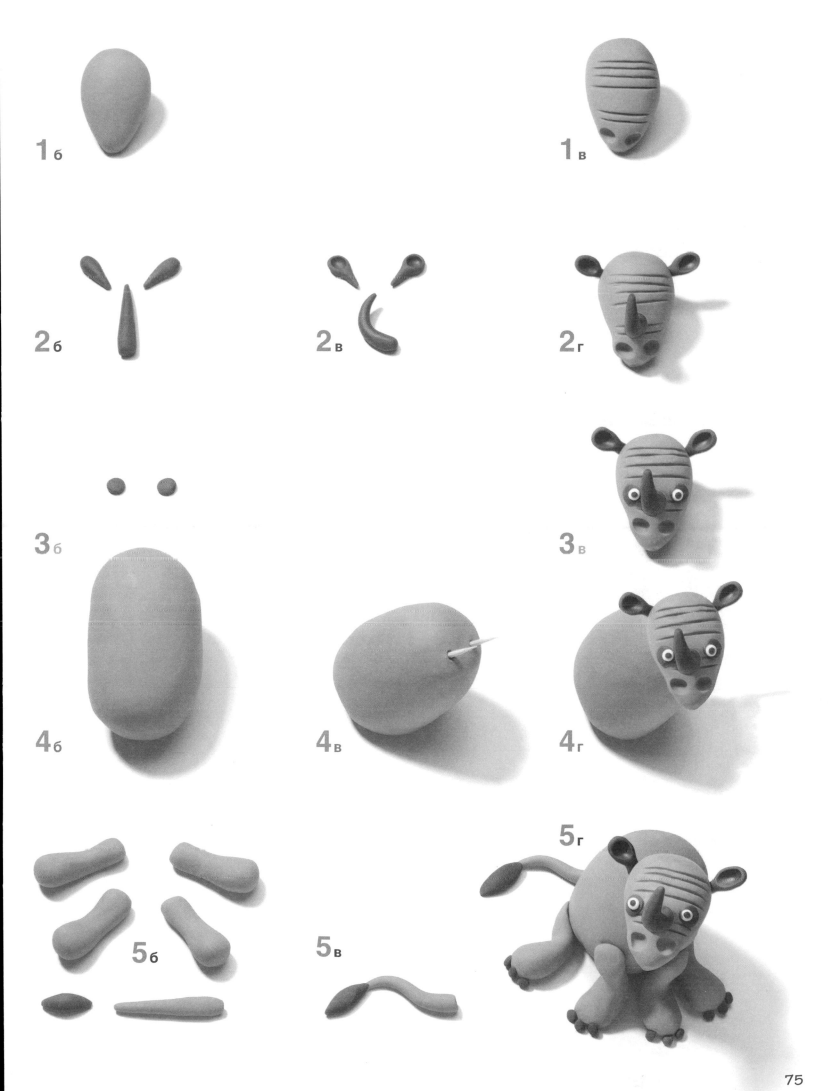

1б

1в

2б

2в

2г

3б

3в

4б

4в

4г

5г

5б

5в

75

СЕКРЕТЫ ПЛАСТИЛИНА

ЦВЕТ КАМНЕЙ. Смешайте большое количество белого пластилина с небольшим количеством красного. Добавьте к полученному розовому пластилину немного желтого и коричневого пластилина. Хорошенько все перемешайте. Насыщенность цвета зависит от количества коричневого пластилина.

ДЕТЕНЫШИ. Главное отличие между взрослыми животными и их детенышами – в их величине. Не менее важна и пропорция между головой и телом. У детенышей голова по отношению к туловищу – очень большая. «Лицо» детенышей обычно делают в нижней половине (даже в нижней трети) головы. Это усиливает ощущение их «детскости». Можно добавить на относительно большом расстоянии от глаз тонкие брови – придать им наивное выражение.

ДВИЖЕНИЕ. Когда мы лепим зверюшек из пластилина, нужно обязательно «вдохнуть в них жизнь». т. е. поставить их так, будто они сфотографированы в движении. Положение ног, головы, хвоста, даже ушей поможет «оживить» зверька. Однако самый простой способ добиться этого – покажите, куда направлен взгляд животного.

1 ГОЛОВА

а. Скатайте зеленый шарик нужного размера.

б. Раскатайте шарик в толстый конусовидный валик.

в. Расплющите зеленый валик в толстую конусовидную лепешку (голова).

г. Краем полоски картона прорежьте внизу головы бороздку (рот).

д. Серной головкой спички сделайте впереди две дырочки (ноздри).

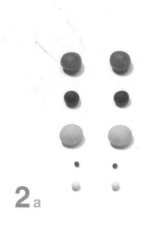

1а

2 ГЛАЗА И ЗУБЫ

а. Скатайте два маленьких зеленых шарика, два лиловых шарика поменьше, два желтых шарика размером побольше (глаза), две крохотные черные бусинки (зрачки) и два очень маленьких белых шарика (зубы).

б. Из двух зеленых шариков скатайте два маленьких валика. Из двух лиловых шариков скатайте два валика размером поменьше. К желтым глазкам прикрепите черные зрачки.

в. Расплющите зеленые валики в веретенообразные лепешки, а лиловые валики – в веретенообразные лепешки размером поменьше (веки).

г. Сверху по краям глаз наклейте лиловые веки.

д. Прилепите глаза к голове крокодила так, как показано на рисунке. Над лиловыми веками прикрепите зеленые лепешки. Вставьте зубы в пасть крокодила. Они должны быть видны только с одной стороны.

2а

3 ТУЛОВИЩЕ

а. Скатайте один большой и семнадцать маленьких зеленых шариков.

б. Большой шарик раскатайте в длинный валик такой же формы, как на рисунке. Один его конец должен быть узкий, а другой – широкий и закругленный.

в. Слегка сплющите валик в длинную толстую лепешку (туловище).

г. Краем полоски картона или пластиковым ножиком сделайте на туловище крокодила восемь поперечных насечек.

д. Слегка приподнимите вверх толстый конец туловища и воткните в него две половинки зубочистки. Прикрепите к туловищу крокодила между насечками по три маленьких зеленых шарика, а в районе хвоста – по одному.

е. Расплющите маленькие зеленые шарики на туловище крокодила большим и средним пальцами. Насадите голову крокодила на острия зубочистки.

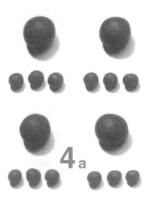

3а

4 ЛАПЫ

а. Скатайте четыре зеленых шарика размером с горошину и еще двенадцать маленьких зеленых шариков.

б. Четыре зеленых шарика раскатайте в валики (лапы). Все маленькие зеленые шарики раскатайте в валики веретенообразной формы («пальчики»).

в. Придайте лапам крокодила нужную форму. Слепите вместе по три «пальчика» и прикрепите их к лапам.

г. Прикрепите лапы крокодила по бокам туловища.

4а

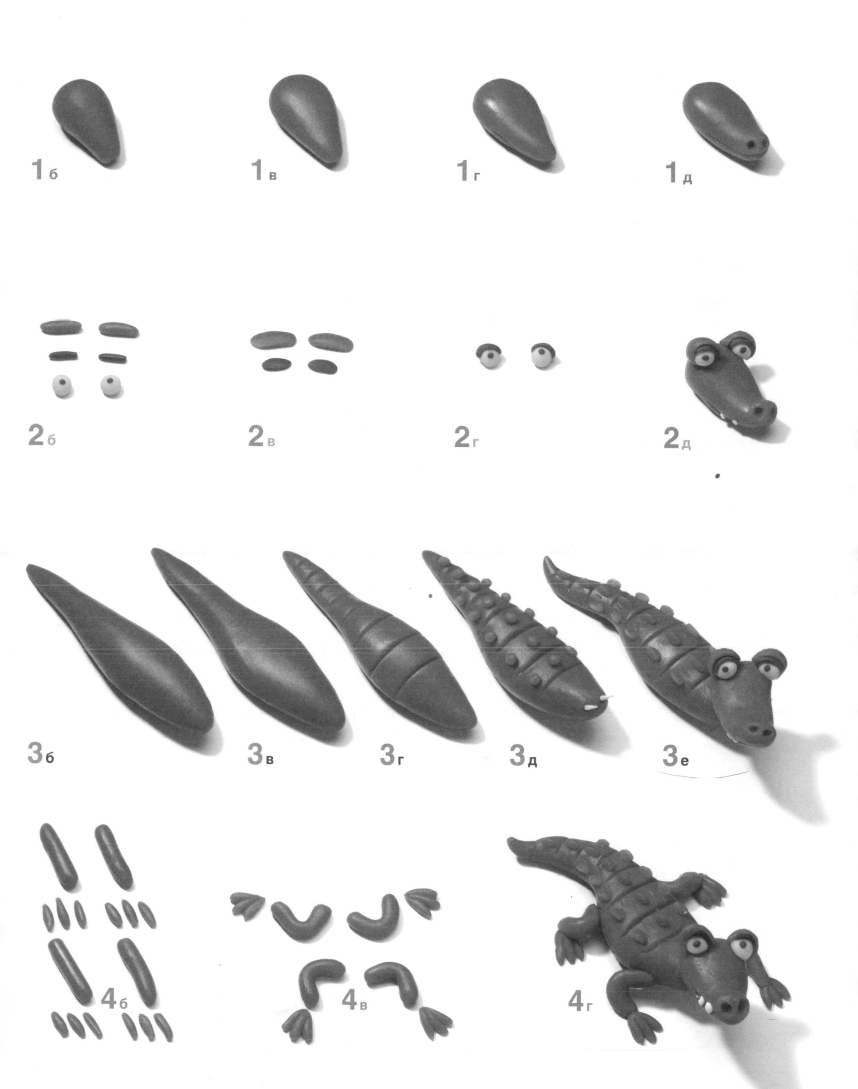

1б

1в

1г

1д

2б

2в

2г

2д

3б

3в

3г

3д

3е

4б

4в

4г

СЕКРЕТЫ ПЛАСТИЛИНА

УТЕНОК. Вылепите утенку туловище. Скатайте один желтый шарик. Сформируйте из него толстый веретенообразный валик с немного заостренными концами. Слегка приподнимите один конец туловища (хвостик). Слегка приподнимите другой конец туловища и немного его сплющите – у вас получится шея (основание для головы). Сформируйте утенку голову. Скатайте желтый шарик в четыре раза меньше, чем предыдущий. Надавите на него одновременно большим и средним пальцами и придайте ему немного плоскую форму (голова). Воткните в шею зубочистку и насадите на ее кончик голову утенка. Сделайте утенку крылья. Скатайте два желтых шарика. Раскатайте их в валики и придайте им конусовидную форму. Расплющите валики в толстенькие лепешки (крылья). Прикрепите крылья к туловищу утенка – широкая их часть должна быть впереди. Скатайте два маленьких белых шарика (глаза) и прилепите их по бокам головы. Скатайте две крохотные черные бусинки (зрачки) и прикрепите их в центре каждого глаза. Скатайте маленький оранжевый шарик. Раскатайте его в толстенький валик и расплющите в лепешку (клюв). Прикрепите клюв к голове утенка.

ЛОТОС. Скатайте шесть маленьких белых шариков, шесть розовых шариков размером поменьше и пять очень маленьких красных шариков. Раскатайте белые шарики в валики. Один их конец должен быть уже, чем другой. Расплющите валики в маленькие лепешки (нижние лепестки). Серной головкой спички сделайте небольшое углубление в основании каждого лепестка. Сложите лепестки веером так, чтобы их широкий конец оказался в центре круга и слегка соприкасался с другим лепестком. Вылепите розовые лепестки и прикрепите каждый из них сверху, между двумя белыми лепестками. Розовые лепестки слегка отогните вверх. Вылепите красные лепестки и прикрепите каждый из них сверху, между двумя розовыми лепестками. Слегка отогните красные лепестки вверх. Скатайте шесть крохотных желтых шариков (тычинки) и прикрепите их кружочком в центре лотоса. Скатайте один маленький оранжевый шарик и прилепите его в середине кружочка с тычинками. Скатайте два зеленых шарика, расплющите их в тонкие круглые лепешки (зеленые листья) и прилепите на них цветок лотоса.

1 ТУЛОВИЩЕ И ХОБОТ

а. Скатайте один большой серый шарик.

б. Раскатайте серый шарик в валик такой же формы, как на рисунке. Один его конец должен быть очень широким (туловище), а другой – длинным и узким (хобот).

в. В середине валика продавите пальцем глубокую ямку (рот).

г. Согните хобот над ртом и отведите его в сторону.

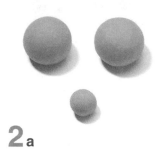

1а

2 УШИ И КОНЧИК ХОБОТА

а. Скатайте два одинаковых серых шарика и еще один серый шарик размером поменьше.

б. Из двух одинаковых шариков скатайте два веретенообразных валика. Серый шарик размером поменьше раскатайте в толстый короткий валик.

в. Нажмите пальцем на веретенообразные валики и сплющите их в лепешки с утолщенными, вогнутыми внутрь краями (уши). Толстый короткий валик расплющите в маленькую овальную лепешку.

г. Согните маленькую лепешку пополам (кончик хобота).

д. Прикрепите слонику ушки так, как показано на рисунке. К острому концу хобота прилепите согнутую пополам маленькую лепешку. Серной головкой спички прорежьте в хоботе дырочку.

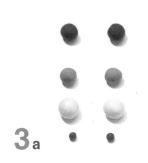

2а

3 ГЛАЗА

а. Скатайте два маленьких темно-лиловых шарика, два маленьких светло-лиловых шарика, два белых шарика немного побольше (глаза) и две крохотные черные бусинки (зрачки).

б. Два темно-лиловых и два светло-лиловых шарика раскатайте в маленькие веретенообразные валики. Темно-лиловые валики согните в форме дуги (брови).

в. Расплющите светло-лиловые валики в маленькие веретенообразные лепешки (веки).

г. Сверху по краям глаз наклейте лиловые веки. К середине каждого глаза прикрепите крохотный черный зрачок.

д. Прикрепите глаза над основанием хобота. Сверху над ними прилепите брови.

3а

4 НОГИ

а. Скатайте четыре больших серых шарика и двенадцать маленьких светло-лиловых шариков (когти).

б. Серые шарики раскатайте в четыре толстых конусовидных валика (ноги).

в. Надавите пальцем на широкую часть каждой ножки и придайте им правильную форму.

г. Прикрепите слону передние ножки вверху туловища под ушами, задние ножки – с обеих сторон нижней части туловища. Прилепите на каждую ножку по три светло-лиловых когтя.

4а

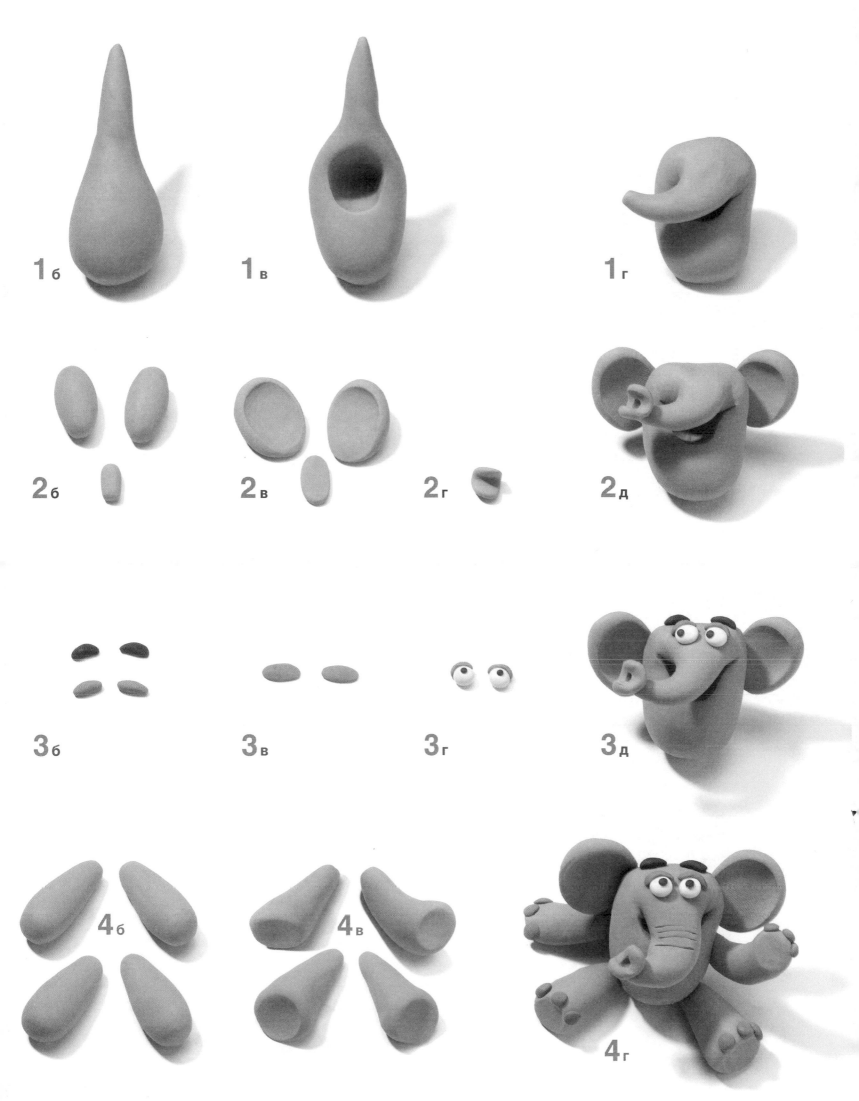

1 б

1 в

1 г

2 б

2 в

2 г

2 д

3 б

3 в

3 г

3 д

4 б

4 в

4 г

83

СЕКРЕТЫ ПЛАСТИЛИНА

ШИМПАНЗЕ. Сформируйте обезьянке туловище. Скатайте один большой коричневый шарик. Раскатайте его в толстый валик. Придайте валику яйцевидную форму.

Сделайте обезьянке конечности. Скатайте четыре небольших коричневых шарика. Они должны быть в четыре раза меньше, чем предыдущий шарик. Раскатайте шарики в четыре длинных валика (руки и ноги). Прикрепите ноги к туловищу шимпанзе и согните их так, как показано на рисунке. Вверху к туловищу прикрепите руки. Правильно их согните и положите на колени. Скатайте шесть маленьких розовых шариков и раскатайте в маленькие веретенообразные валики (пальцы). Прикрепите к каждой руке шимпанзе по три пальца.

Вылепите обезьянке голову и мордочку. Скатайте один коричневый шарик (голова). По размеру он должен быть в два раза меньше, чем шарик для туловища. Скатайте один маленький розовый шарик и расплющите его в тонкую круглую лепешку. Прилепите ее к передней части головы (мордочка). Скатайте один розовый шарик (нос и рот) и прикрепите его к нижней части мордочки. Краем полоски картона или пластиковым ножиком прорежьте рот, а над ним серной головкой спички сделайте две дырочки (ноздри). Скатайте два маленьких розовых шарика и расплющите их в круглые лепешки. Серной головкой спички в каждой лепешке вырежьте ямку (ушки). Прикрепите ушки к голове шимпанзе. Скатайте два маленьких белых шарика (глаза) и прилепите их к мордочке над носом. Скатайте два маленьких лиловых шарика и раскатайте их в маленькие веретенообразные валики (веки). Сверху по краям глаз наклейте лиловые веки. Скатайте две крохотные черные бусинки (зрачки) и прикрепите их к середине каждого глаза. Скатайте два маленьких розовых шарика и сформируйте из них маленькие веретенообразные валики (брови). Прикрепите брови над глазами. Воткните в верхнюю часть туловища шимпанзе зубочистку. Насадите голову шимпанзе на острие зубочистки и прикрепите ее к туловищу.

1 ГОЛОВА, УШИ И РОЖКИ

а. Скатайте два оранжевых шарика, два желтых шарика размером побольше и один большой желтый шарик.

б. Оранжевые шарики раскатайте в два маленьких конусовидных валика (рожки). Закруглите их широкую часть. Из двух желтых шариков сформируйте длинные валики. Один их конец должен быть уже, чем другой. Большой шарик раскатайте в валик и придайте ему нужную форму (голова).

в. Расплющите желтые валики в лепешки (уши).

г. Прикрепите оранжевые рожки на затылке. По бокам головы прилепите ушки.

1а

2 ГЛАЗА

а. Скатайте четыре маленьких лиловых шарика, два белых шарика размером побольше (глаза) и две крохотные черные бусинки (зрачки).

б. Два лиловых шарика раскатайте в маленькие веретенообразные валики. Слегка их изогните (брови). Два оставшихся лиловых шарика раскатайте в два маленьких веретенообразных валика. К середине каждого глаза прикрепите крохотный черный зрачок.

в. Расплющите лиловые валики в маленькие веретенообразные лепешки (веки).

г. Прилепите глаза к мордочке жирафа. Сверху по краям глаз наклейте лиловые веки. Над глазами прикрепите брови. Серной головкой спички внизу головы сделайте две дырочки (ноздри).

2а

3 ТУЛОВИЩЕ И ПЯТНЫШКИ

а. Скатайте один большой желтый шарик (он должен быть в три раза больше, чем голова) и тринадцать маленьких оранжевых шариков разной величины.

б. Раскатайте желтый шарик в валик такой же формы, как на рисунке. Один его конец должен быть очень широким (туловище), а другой – длинным и узким (шея). Расплющите оранжевые шарики в круглые лепешки (пятнышки).

в. Покройте пятнышками туловище жирафа. Воткните в узкую часть туловища половинку зубочистки так, чтобы ее кончик остался снаружи.

г. Насадите голову жирафа на острие зубочистки и прикрепите ее к туловищу.

3а

4 НОГИ И ХВОСТ

а. Скатайте четыре желтых шарика, четыре маленьких коричневых шарика, один желтый шарик размером побольше и еще один небольшой коричневый шарик.

б. Четыре желтых шарика раскатайте в длинные валики. Один их конец должен быть шире (ноги). Из четырех коричневых шариков сформируйте веретенообразные валики с немного заостренными концами (копытца). Большой желтый шарик раскатайте в длинный валик с одним зауженным концом (хвост). Из оставшегося коричневого шарика сделайте валик в виде кисточки.

в. Согните две желтые ноги и четыре коричневых копытца так, как показано на рисунке. Придайте хвостику правильную форму и прилепите к нему кисточку.

г. Прикрепите жирафу передние ножки вверху по бокам туловища, задние ножки – с обеих сторон нижней части туловища. К каждой ножке прилепите копытце. Хвостик должен быть сзади.

4а

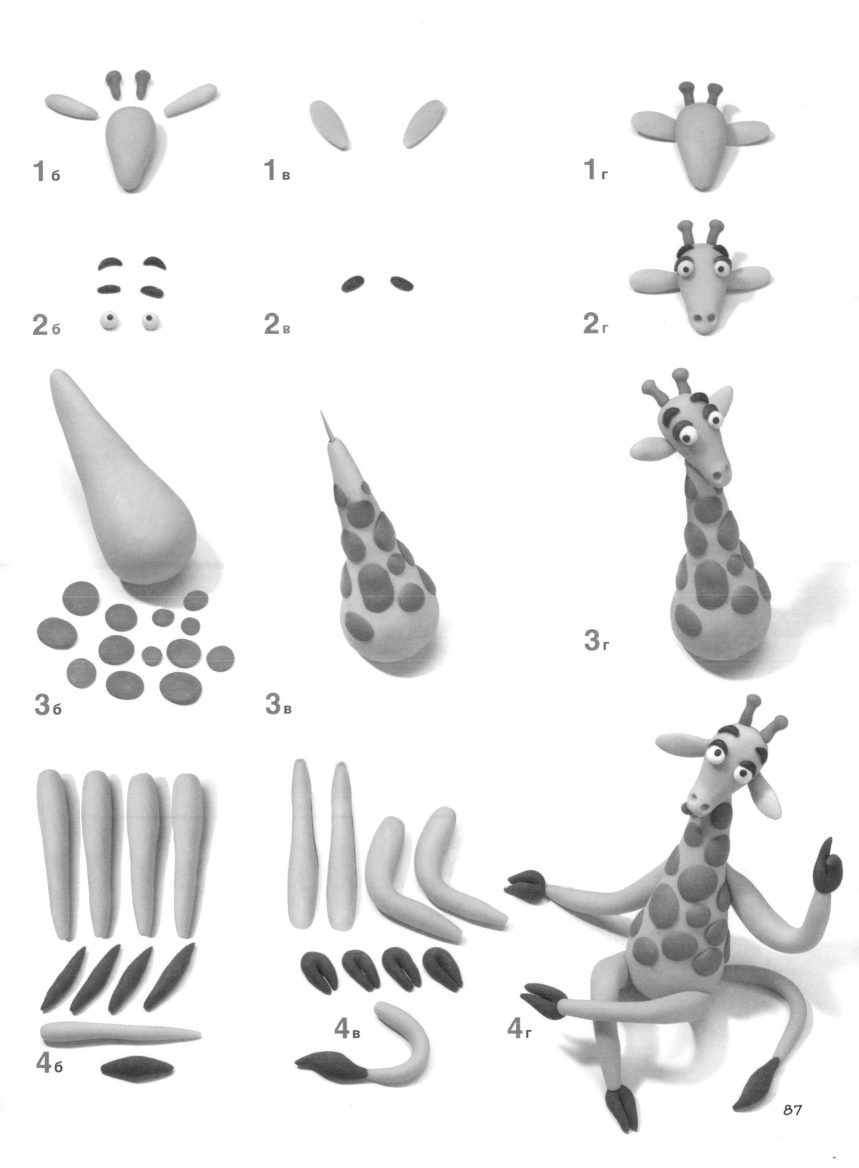

1 б

1 в

1 г

2 б

2 в

2 г

3 б

3 в

3 г

4 б

4 в

4 г

СЕКРЕТЫ ПЛАСТИЛИНА

ПИРАМИДА. Можно сделать пирамиду из жирафов. Для этого ножки каждого жирафа должны быть прикреплены к туловищу стержнями-зубочистками – это придаст пирамиде устойчивость. Вылепите жирафу копытца согласно указаниям на с. 86 и поставьте их на желаемую поверхность (на пласт зеленого пластилина или на спину другого жирафа). Следуя указаниям на с. 86, вылепите жирафу ножки. Затем воткните зубочистки в ножки жирафа сверху вниз так, чтобы они прошли посередине, а снаружи каждой ножки вверху и внизу выглядывали кончики зубочистки. На нижние острия зубочисток насадите копытца. Вверху к ножкам прикрепите туловище.

ЦВЕТЫ. Скатайте маленькие белые и розовые шарики. Скрепите вместе по четыре одинаковых шарика и сформируйте из них белые и розовые цветочки (лепестки). Скатайте несколько желтых шариков размером поменьше. Прилепите по одному желтому шарику в середине каждого цветочка. Сложите букет из нескольких розовых и белых цветочков. Скатайте маленькие зеленые шарики. Раскатайте их в конусовидные валики. Расплющите валики в маленькие продолговатые лепешки. Краем полоски картона нарисуйте на листиках прожилки. Сложите вместе несколько зеленых листьев и прикрепите к ним полученный букетик.

Содержание

Предисловие для взрослых —————————— 8

Предисловие для детей —————————— 9

Мышка —————————— 10

Улитка —————————— 10

Петушок —————————— 14

Лягушка —————————— 18

Ослик —————————— 22

Собачка —————————— 26

Котенок —————————— 30

Кролик —————————— 34

Черепаха —————————— 38

Овечка —————————— 42

Корова —————————— 46

Пингвин —————————— 50

Тюлень —————————— 54

Коала —————————— 58

Гиппопотам —————————— 62

Медведь —————————— 66

Лев —————————— 70

Носорог —————————— 74

Крокодил —————————— 78

Слон —————————— 82

Жираф —————————— 86

Издание для досуга

Для среднего школьного возраста

Рони Орен

СЕКРЕТЫ ПЛАСТИЛИНА™

Руководитель проекта *Рона Ицхаки*
Редактор *Рахела Зандбанк*
Ответственный редактор *Оксана Фесенко*
Съемки в студии *Йорам Ашхайм*
Художественный редактор *Уриэль Амгар*
Рисунки фонов *Йони Гудман*
Дизайн *Пэпи Марзель*
Компьютерная верстка *Марина Ковригина*
Технический редактор *Татьяна Андреева*
Дизайн обложки *Наталья Яскина*
Корректор *Татьяна Чернышева*

Подписано в печать 16.07.2018. Бумага офсетная.
Формат 70×100/8. Гарнитура «Helios».
Печать офсетная. Усл. печ. л. 15,48.
Доп. тираж 5000 экз. U-AD-4323-31-R. Заказ № 5640/18.
Дата изготовления 10.08.2018.
Срок службы (годности): не ограничен.
Условия хранения: в сухом помещении.

ООО «Издательская Группа «Азбука-Аттикус» —
обладатель товарного знака Machaon
115093, Москва, ул. Павловская, д. 7, эт. 2, пом. III, ком. № 1
Тел. (495) 933-76-01, факс (495) 933-76-19
E-mail: sales@atticus-group.ru

Филиал ООО «Издательская Группа «Азбука-Аттикус» в г. Санкт-Петербурге
191123, Санкт-Петербург, Воскресенская набережная, д. 12, лит. А
Тел. (812) 327-04-55
E-mail: trade@azbooka.spb.ru

ЧП «Издательство «Махаон-Украина»
Тел./факс (044) 490-99-01
e-mail: sale@machaon.kiev.ua

www.azbooka.ru; www.atticus-group.ru

Отпечатано в России.
Отпечатано в соответствии с предоставленными материалами
в ООО «ИПК Парето-Принт». 170546, Тверская область,
Промышленная зона Боровлево-1, комплекс № 3А
www.pareto-print.ru

До встречи в следующих книгах!